M000031691

OBJETOS
QUE ENSEÑAN DE
DIOS

por
Cecilio y María McConnell

CASA BAUTISTA DE PUBLICACIONES

CASA BAUTISTA DE PUBLICACIONES

7000 Alabama Street, El Paso, TX 79904, EE.UU. de A.

www.casabautista.org

Nuestra pasión: Comunicar el mensaje de Jesucristo y facilitar la formación de discípulos por medios impresos y electrónicos.

Objetos que enseñan de Dios. © Copyright 1985, Casa Bautista de Publicaciones, 7000 Alabama Street, El Paso, Texas 79904, Estados Unidos de América. Traducido y publicado con permiso. Todos los derechos reservados. Prohibida su reproducción o transmisión total o parcial, por cualquier medio, sin el permiso escrito de los publicadores.

Las lecciones que en el índice están señaladas con asteriscos son extractos adaptados de *Little Visits with God,* © Copyright 1957 y *More Little Visits with God,* © Copyright 1961, Concordia Publishing House, Saint Louis, Missouri. Usadas con permiso.

Ediciones: 1986, 1988, 1990, 1993, 1996, 1997
1998, 2000, 2001, 2003, 2005, 2007
Decimotercera edición: 2008

Clasificación Decimal Dewey: 252.53

Diseño de la cubierta:
Jorge Rodríguez

Temas: 1. Sermones para niños
2. Educación cristiana

ISBN: 978-0-311-44007-8
C.B.P. Art. No. 44007

1.5 M 8 08

Impreso en Colombia
Printed in Colombia

INDICE

1. Cuando "Limpio" No Es Limpio* 7
2. ¡Los Regalos de Dios Son Gratis!* 8
3. Un Corazón Torcido 9
4. Aprendiendo a Caminar 11
5. La Presencia de Dios 12
6. Yendo por el Camino de Dios* 13
7. Una Lección de las Flores* 14
8. Lo Que Hace Nuestro Señor 15
9. ¿Sano o Parchado? 16
10. La Llave Que Corresponde 17
11. El Contentamiento por Dentro* 18
12. El Espejo de Dios* 19
13. Cuando Se Paró el Reloj* 21
14. El Mejor Espejo 22
15. ¿Cuál Está Derecho? 23
16. Cómo Acercarse a Dios 24
17. ¿Un Regalo de Restos? 25
18. Lecciones de una Bombilla Eléctrica 26
19. El Señor Vela e Hijo 28
20. Lecciones de una Rosa 29
21. Un Sermón del Botón 30
22. ¿Qué Clase de Vaso Somos? 32
23. ¿Cuál Es Mejor? 33
24. El Bien y el Mal 34
25. Débil pero Fuerte 35
26. ¿Dónde Está el Mal?* 36
27. ¿Creación por Accidente? 37
28. La Mejor Linterna* 38
29. Cantando Alabanzas a Dios 39
30. ¿Qué Está en la Biblia?* 41
31. Un Paquete Bonito pero, ¿Qué Hay Adentro? 42
32. Siguiendo el Modelo 43
33. ¿Somos Dueños de Qué?* 44
34. Defraudando al Dueño* 45
35. El Dador Alegre* 46

36.	Cómo Dios Contesta*	47
37.	¡Yo Quiero Algo Fácil!	48
38.	¿Vale la Pena Cuidarla?	50
39.	Piedras Preciosas	51
40.	Los Niños Crecen y Llegan a Ser Grandes	52
41.	Algo Que los Cristianos Pueden Quitar*	53
42.	Ayuda para Ser Fuerte*	54
43.	Las Apariencias Engañan	55
44.	La Regla de Oro*	56
45.	Cómo Pasarlo Realmente Bien*	57
46.	¡Esté Agradecido!*	59
47.	Una Caja para Quejas*	60
48.	Cómo Quitar la Tristeza	61
49.	Cómo Hermosear el Rostro	62
50.	Razones para Estar Agradecido*	63
51.	La Ley de Dios Es Buena*	64
52.	Desobediente pero Perdonado*	65
53.	¿Queremos Dar o Recibir?*	66
54.	El Mejor Pegante*	68
55.	Deshaciendo Lo Hecho	69
56.	Diciendo Mentiras	70
57.	Los Chismosos*	71
58.	Algunas Palabras Mágicas*	72
59.	Cómo Tratar a Personas Difíciles*	74
60.	El Regalo sin Abrir	75
61.	Lo Limpio y Lo Sucio	76
62.	Atado con un Hilito	77
63.	El Orgullo Reventado	78
64.	Las Cosas Pequeñas	79
65.	La Boca Sucia	80
66.	El Envase Venenoso	81
67.	Libros Que Pueden Matar	82
68.	¿Qué Fruta Tiene un Arbol?	84
69.	Lecciones de un Alfiler	85
70.	¿Cuándo Es Cometa una Cometa?	86
71.	Lecciones de una Linterna	88
72.	Más Lecciones de una Linterna	90
73.	¿Para Qué Sirve un Paraguas?	92

PREFACIO

Los niños forman una parte importante de nuestras congregaciones y es justo que una parte del culto sea dedicada especialmente a ellos.

Yo, Cecilio, durante años como pastor he acostumbrado dar un tiempo a los niños como parte del culto del domingo en la mañana, cuando los niños asisten en mayor número. A veces, les he contado una historia bíblica o de otra índole, con una aplicación a sus vidas. Especialmente he usado objetos en que ellos concentren su atención para que relacionen una lección con su situación de niños. ¡Y un resultado extra ha sido que los grandes lo han captado también!

Yo, María, además de atender a nuestra familia de cuatro hijas, he sido maestra de los niños de las escuelas dominicales y de otras organizaciones juveniles, y fui por muchos años directora de las Escuelas Bíblicas de Vacaciones para los bautistas de Chile. Posteriormente he colaborado con gusto en esas tareas en Colombia, México y Estados Unidos.

En este libro hemos juntado algunos cuentos que contienen objetos, creyendo que tal vez puedan despertar la imaginación de pastores y otros dirigentes para sus cultos. También, los relatos sirven como partes de reuniones para niños o aun para que los padres y abuelos traten con la gente menuda de sus hogares. Y para ayudarles a encontrar los relatos con mayor facilidad, hemos preparado dos índices especiales, los cuales aparecen al final del libro: El índice de textos bíblicos y el de temas. Quizá no todos estos cuentos apunten hacia niños de la misma edad, pero creemos que casi todos pueden ser ajustados para un determinado grupo.

Hemos encontrado que pueden usarse los cuentos con "objetos imaginarios", es decir, usando movimientos de las manos o del cuerpo; pero, sin duda, resultará mejor utilizar los objetos mismos o, a lo menos, sencillos croquis de ellos, sea en un pizarrón o en papel.

Si el contenido de este libro contribuye para presentar la verdad de Dios a lo que será la próxima generación, estaremos muy contentos. Si despierta en algunos padres, maestros o pastores la posibilidad de ilustrar de otros modos las enseñanzas divinas, más satisfechos quedaremos.

Deseamos expresar nuestra gratitud a Concordia Publishing House, St. Louis, Missouri, USA, por su permiso para usar ideas de *Little Visits with God* (Visitas pequeñas con Dios) y *More Little Visits with God* (Más visitas pequeñas con Dios), publicados respectivamente en 1957 y 1961. Los dos libros fueron escritos por Allan Hart Jahsmann y Martin P. Simon. Los veintiocho cuentos que influyeron en mayor o menor escala en los relatos de aquí son marcados con un "*" después del título en el "Indice". Sin duda, algunos de los otros que usamos se basan en mensajes que hemos leído o escuchado. Ciertamente, agradecemos el aporte que otros nos han brindado.

No nos cansemos en nuestro trabajo con los niños. "Instruye al niño en su camino, y aun cuando fuere viejo no se apartará de él" (Pr. 22:6).

Cecilio y María McConnell

OBJETOS QUE ENSEÑAN DE DIOS

CUANDO "LIMPIO" NO ES LIMPIO

Pr. 20:9; Is. 64:6; 1 Jn. 1:8, 9, 7

Objeto: Un pan de jabón.

¿Alguna vez el papá o la mamá de ustedes, les han dicho: "Hijo (o hija), anda a lavarte las manos"? ¿Sí? Muchas veces, ¿no es cierto?

Pero ahora les hago otra pregunta: ¿Acaso a veces, después de haberse lavado, sus papás les habrán dicho: "Pero mira, hijo, esas manos no están limpias"? Entonces ustedes dijeron: "Pero, mamá, están limpias, pues las lavamos. ¿No ves?" Luego ella dijo: "Mi hijito, tu 'limpio' no está limpio."

Y no había más remedio que ir a lavarse otra vez, usando más jabón *(muestre el pan de jabón)*. Sin duda, tenían que lavarse los brazos y la cara también, ¿verdad?

¿Saben? Muchas personas son así cuando tratan con Dios. Creen que están limpias. Dicen que se lavaron. Han hecho algunas cosas buenas y creen que eso es suficiente. Pero como se pregunta en Proverbios 20:9, en la Biblia: "¿Quién podrá decir: Yo he limpiado mi corazón, limpio estoy de mi pecado?" La respuesta es: Nadie. El profeta Isaías, un gran hombre de Dios, escribió (64:6): "Todos nosotros somos como suciedad, y todas nuestras justicias [cosas buenas] como trapo de inmundicia."

Podemos decir que estamos limpios, pero Dios dice otra cosa. El ve el pecado. Nuestro "limpio" no está limpio. Podemos creer que no somos tan malos como otra gente, pero ese argumento no sirve. Ustedes son niños aún, pero también saben que han hecho el mal. Todos tenemos que reconocer eso. Debemos sentirnos tristes por haber ofendido a Dios y decidir que, con la ayuda de él, no lo haremos más. Esto es lo que se llama "arrepentirse". Dios toma muy en serio nuestra maldad, pero nos ama y quiere ayudarnos. Está dispuesto a limpiar la maldad nuestra. No es cosa fácil, pues Jesucristo tuvo que ir hasta la cruz a morir por nuestros pecados. La Biblia dice: "Si decimos que no tenemos pecado, nos engañamos a nosotros mismos, y la verdad no está en nosotros. Si confesamos nuestros pecados, él es fiel y justo para perdonar nuestros pecados, y limpiarnos de toda maldad." Pero esa clase de lavamiento no se hace con jabón, ¿verdad? Más bien, como se dice en el mismo pasaje bíblico: Es que "la sangre de Jesucristo su Hijo nos limpia de todo pecado" (1 Jn. 1:8, 9, 7).

¿Quieres tú esa clase de limpieza?

¡LOS REGALOS DE DIOS SON GRATIS!

Is. 55:1

Objetos: Diferentes alimentos o grabados de los mismos: leche, pan, etc.

Supongamos que un niño está mirando la vitrina de una tienda de abarrotes. Allí ve pan, fruta y otras clases de comida.

Tiene hambre, pero no tiene dinero. Luego sale el dueño del negocio, no para asustar al niño, sino para llamarlo: "A todos los sedientos: Venid a las aguas; y los que no tienen dinero, venid, comprad y comed. Venid, comprad sin dinero y sin precio" (Is. 55:1). ¿No sería difícil que ese niño creyera lo que oía?

Entonces el niño corre y le dice:

—Caballero, no tengo dinero y tengo hambre y sed. ¿Me dará algo?

El vendedor le pasa un pan grande, algo de fruta y un envase de leche. ¿Cómo se sentiría ese niño?

Bueno, sabemos que no son muchos los vendedores que harían una cosa así. Pero, ¿saben? Eso es lo que Dios hace todo el tiempo. Las palabras que hemos puesto en la boca del dueño del negocio son de la Biblia en el libro de Isaías.

Muchas veces Dios nos da pan y leche materiales, por medio del esfuerzo de otras personas. Sin embargo, lo que él nos ofrece sobre todo es la alimentación espiritual. El mejor pan y leche es su amor, el perdón de todos nuestros pecados y una vida nueva y rica en Cristo Jesús. Es esa la clase de pan que nunca se acaba y la bebida refrescante que dura para siempre.

UN CORAZON TORCIDO
Sal. 37:31; Pr. 16:9; Ez. 36:26, 27

Objetos: Dos corazones cortados de cartón o papel grueso. Uno está bien hecho, el otro mal formado. En el bien hecho está la palabra "Cristo" en letras bastante visibles para el grupo. En el mal formado está la palabra "yo". En los dos casos se tapa la palabra con un pedazo de papel del mismo color, mantenido desde arriba con "bisagras" de papel adhesivo invisible.

¿Qué tengo aquí? *(Muestre los corazones, con palabras tapadas.)* Sí, dos corazones. Como pueden ver, uno es feo y el otro muy bonito. Este feo *(muestre el que está bien hecho)* lo copié de un libro; este bonito *(muestre el mal formado)* lo hice yo a mi manera, y así resultó mucho mejor, ¿verdad? ¿Qué les pasa? ¡Parece que no están de acuerdo conmigo! Bueno, entonces, ¿cuál creen ustedes que es mejor?

Conforme. Al mirarlos bien, creo que tendré que estar de acuerdo con ustedes. Este corazón *(muéstrelo)* está mal hecho, ¿no es cierto?

Veamos si hay alguna explicación de la diferencia entre los corazones. *(Levante la tapa.)* ¡Ajá! Aquí vemos la palabra "Cristo", significando que Cristo está en el corazón. ¿Qué tendrá el otro? *(Levante la tapa.)* ¡Dice: "Yo"! Cuando lo único que está en el corazón es el "yo", no puede menos que ser torcido.

Se dice en la Biblia, en el Salmo 37:31: "La ley de su Dios está en su corazón; por tanto, sus pies no resbalarán." También, Proverbios 16:9 dice: "El corazón del hombre piensa su camino; mas Jehová endereza sus pasos."

Cuando el Señor Jesús es el verdadero dueño de nuestro corazón, nos va a ir mejor. El sabe dirigirnos bien, pero el "yo" en el corazón es egoísta y muy poco amante. No es bondadoso. Ni tampoco está contento.

Pero, ¡qué bueno es cuando respondemos bien a lo que dice el Señor en Ezequiel 36:26, 27!: "Os daré corazón nuevo, y pondré espíritu nuevo dentro de vosotros; y quitaré de vuestra carne el corazón de piedra, y os daré un corazón de carne. Y pondré dentro de vosotros mi Espíritu, y haré que andéis en mis estatutos, y guardéis mis preceptos, y los pongáis por obra."

¿Qué clase de corazón quieres tú?

APRENDIENDO A CAMINAR

1 P. 2:21

Objeto: Grabado de un niñito de un año.

Elsa estaba ayudando a su mamá a conseguir que su hermanito David diera sus primeros pasos. David se quedaba parado mientras tenía su mano tomada de un dedo de su mamá o de su hermana.

—¿Por qué Davidcito no suelta ese dedo y camina? —preguntó Elsa, un poco molesta—. Yo creo que podría hacerlo.

—Yo lo creo también, hija —contestó su madre—, pero él tiene miedo.

—¿Por qué tiene miedo? ¿No sabe él que le vamos a ayudar si lo necesita?

—Puede que sí —dijo la madre—, pero siempre tiene desconfianza.

En eso el niñito soltó la mano de su hermana para dar dos pasitos hasta los brazos abiertos de su madre. Luego, otros pasos, ya más firmes. Todos estaban muy felices.

Más tarde la madre buscó seguir la conversación con Elsa.

—¿Te acuerdas, hija, que Davidcito tenía miedo de soltar nuestras manos para caminar solo?

—Sí, mamá, pero después lo pudo hacer, ¿verdad?

—Así fue. Y, ¿sabes una cosa? Mucha gente es así con Dios. Estamos acostumbrados a movernos tan sólo donde podemos tomarnos de algo. Como nosotras no íbamos a dejar que Davidcito se dañara, porque le amamos, Dios nos ama también y es mucho más fuerte y sabio. El nos ama tanto que mandó al mundo a su Hijo Jesucristo con el fin de que le creyéramos y tuviésemos la salvación.

—Entonces, ¿será que a veces tenemos miedo de confiar en él?

—Parece que sí, querida. Al igual que David, tememos dar los pasos al Señor Jesús, tanto para aceptar la salvación como para hacer las otras cosas que él nos pide. La Biblia nos dice que debemos seguir sus pisadas.

—¿Dónde dice eso, mamá?

La madre tomó su Biblia y la abrió a 1 Pedro 2:21 y leyó: "Cristo padeció [sufrió] por nosotros, dejándonos ejemplo, para que sigáis sus pisadas."

Luego, agregó:

—¿Estás tú dispuesta a hacer eso, hija mía?

—Sí, mamá, siempre.

Y le dio un beso en la mejilla.

LA PRESENCIA DE DIOS

Jn. 4:24; 3:8

Objeto: Un abanico, o algo que sirva para abanicar.

¿Podemos ver a Dios? No, pero sabemos que está en todas partes y mayormente en la casa de Dios. ¿Cómo podemos saber eso, si no lo vemos?

¿Cómo sabemos que hay algo que llamamos "aire"? ¿Podemos ver el aire, o el viento? No, pero podemos llenar los pulmones con aire. *(Respire profundamente.)* ¿No es cierto? El viento es el aire en movimiento. *(Mueva el abanico.)* No podemos ver el viento, pero lo podemos sentir. Cuando sopla, se mueven las nubes, las ramas de los árboles, las hojas sueltas, las olas del mar o de un río.

Así es con Dios. Sabemos que está, porque vemos las obras que hace. Al igual que el viento, es fácil notar su presencia. En otras ocasiones no es tan fácil verla. Tal como a veces tenemos que abanicar para sentir el aire, de modo parecido tenemos que cooperar con Dios, buscándolo para sentir que él está con nosotros. En todo conviene que tengamos los ojos abiertos y los sentidos alertas.

Cuando la mujer samaritana preguntó a Jesús acerca del mejor lugar para adorar a Dios, el Señor le contestó: "Dios es Espíritu; y los que le adoran, en espíritu y en verdad es necesario que adoren" (Jn. 4:24).

También, Jesús comparó el Espíritu de Dios con el viento: "El viento sopla de donde quiere, y oyes su sonido; mas ni sabes de dónde viene, ni a dónde va; así es todo aquel que es nacido del Espíritu" (Jn. 3:8).

Con todo, no olvidemos buscar a Dios, pues es muy importante para nosotros.

YENDO POR EL CAMINO DE DIOS

Pr. 14:12; Sal. 86:11

Objeto: Grabado de un camino que se cierra a lo lejos.

Irene rogó a su papá a que fuese a la escuela dominical y al culto con ella y la mamá. Pero el papá no quiso. Muchas veces la mamá le había pedido lo mismo, pero sin resultados.

El papá sólo respondió:

—Déjenme tranquilo. Ustedes irán por su camino, y yo iré por el mío.

—Y, ¿cuál es su camino? —le preguntó la niña.

El no contestó, pero quedó pensativo.

"En fin, ¿cuál es mi camino?", se preguntó. Pensando un rato, tuvo que decirse: "Mi camino está muy equivocado. No voy por el camino de Dios." Recordaba que su esposa repetidas veces le había citado un versículo bíblico que dice: "Hay camino que al hombre le parece derecho; pero su fin es camino de muerte" (Pr. 14:12).

El hombre no pudo quedarse tranquilo. Se vistió y salió para el culto. Llegó atrasado para la escuela dominical pero estuvo en el culto con su esposa e hija. Empezó a estudiar la Biblia, orando, como lo expresa el Salmista: "Enséñame, oh Jehová, tu camino; caminaré yo en tu verdad" (Sal. 86:11). Encontró que el camino de Dios se nos presenta claramente en la Biblia y que ese camino nos conduce al bien en este mundo y, después, al cielo. Antes de mucho tiempo se entregó al Señor.

¿No creen ustedes que Irene y su mamá estaban muy contentas? Y el papá también.

Y, ¿no hizo una buena obra Irene al invitar a su papá?

UNA LECCION DE LAS FLORES
Is. 40:8

Objeto: Un manojo de flores cortadas, preferiblemente que algunas estén marchitas.

Marcela encontró algunas flores en el campo y llevó un manojo de ellas a su mamá. Esta se las agradeció y las puso en un florero, aunque algunas ya empezaban a secarse.

Al día siguiente, Marcela miró las flores otra vez, pero no estaban nada bonitas. Se habían marchitado.

—Mamá —dijo Marcelita tristemente—, las flores ya no están bonitas.

—Es cierto —dijo la mamá—, pero nos enseñan una buena lección.

—¿Qué clase de lección? —preguntó Marcela con curiosidad.

La mamá abrazó a su hija y dijo:

—Las flores nos dicen que todo lo que hay en este mundo tiene que morir. Las flores se marchitan. El pasto se seca. Las hojas de casi todos los árboles se caen. El perro de los vecinos se murió. Y, ¿te acuerdas que hace poco falleció el anciano, el señor López? Todo va a morir. Pero las flores también nos enseñan otra cosa. Nos dicen que la Palabra de Dios permanece. El profeta Isaías escribió en la Biblia: "Sécase la hierba, marchítase la flor; mas la palabra del Dios nuestro permanece para siempre" (Is. 40:8).

—Me alegro de eso —respondió Marcela—. También sabemos que quienquiera que cree en Jesucristo nunca morirá, pues la Palabra de Dios así lo promete. ¿No es cierto, mamá?

LO QUE HACE NUESTRO SEÑOR
Jn. 1:4; 3:36

Objeto: Un trompo u otro juguete de madera que tenga un rasguño u otro defecto muy visible.

¿Ven este trompo? (o lo que sea). ¿Les gusta jugar con algo así? Pero parece que este trompo tiene una herida, ¿verdad? A lo mejor debemos ponerle un ungüento y dejarlo en alguna parte para que sane. ¿Qué les parece? ¿Se sanaría este rasguño? ¿No? ¿Por qué no? *(Deje que contesten.)*

Si yo (o tú) tengo un rasguño en la mano o en el brazo, ¿se sana? ¿Sí? ¿Por qué se sana mi piel y no la del trompo?

Bueno, tal vez podríamos expresarlo así: Nuestra carne tiene vida. El Señor hizo nuestros cuerpos, y se pueden sanar. Hasta una herida en un árbol se puede sanar, porque Dios hizo los árboles, como lo hizo todo. Pero cuando un hombre cortó el árbol, éste se secó y murió, y el hombre usó la madera para hacer el trompo. Lo que el hombre hace no se sana, porque no tiene vida. Es Dios que da vida.

En la Santa Biblia, hablando de Jesucristo, se dice: "En él

estaba la vida, y la vida era la luz de los hombres" (Jn. 1:4). Varias veces también dijo Jesús: "Yo soy la vida."

En el principio, durante la creación del mundo y del universo, él lo hizo todo. Es él también que lo sostiene. Además, cuando ponemos nuestra fe, nuestra confianza, en él, tenemos vida eterna. Bajo la dirección de Dios, el apóstol Juan escribió en la Biblia: "El que cree en el Hijo tiene vida eterna, pero el que rehúsa creer en el Hijo no verá la vida, sino que la ira de Dios está sobre él" (Jn. 3:36). Sin fe en Cristo somos como la madera del árbol ya cortada: No hay vida.

Nos gusta jugar con un trompo, pero queremos que nuestro cuerpo tenga vida, ¿no es cierto?

¿SANO O PARCHADO?
Ec. 12:1; Is. 55:6

Objeto: Un florero o maceta.

¿Creen ustedes que este florero sería igual si lo rompiéramos y volviésemos a parcharlo? Quizá tener un florero parchado sería mejor que no tener ninguno, pero no sería lo mejor.

Así, una vida manchada y "parchada" puede ser útil; pero, ¡cuánto mejor será no haber andando nunca en la maldad!

Conozco a un hombre que vivió mal durante muchos años, dio mal ejemplo a sus hijos, malgastó su dinero de tal manera que la familia vivía en mucha pobreza. Después, se convirtió al evangelio de Jesucristo y con gozo y buena conducta sirvió al Señor. La familia y sus amigos se alegraron mucho por el cambio. Pudo hacer un buen trabajo como un "florero parchado". Pero algunos de sus hijos siguieron su ejemplo anterior, no el actual.

Conozco a otro que aceptó a Cristo desde jovencito; estudió bien y después trabajó bien; proveyó lo necesario para su familia y con ésta sirvió al Señor durante muchísimos años. Como dijimos, es bueno "parchar el florero", pero es mejor no quebrarlo.

Cada uno de ustedes tiene ante sí tres posibilidades: Primera, romper el "florero" de su vida y dejarlo roto, pasando esta vida alejada de Dios y, después, la otra vida también durante la eternidad. Ojalá ninguno haga eso. Segunda, puede vivir mal —sea mucho mal o poco mal, pero siempre mal— y quizá volver después al Señor, si hay la oportunidad. Eso sería una lástima, pero sería preferible a lo primero, pues ofrece a Dios a lo menos los "parches". Tercera, puede recibir a Cristo como Salvador y Señor ahora en la tierna juventud. Eso es lo mejor. La Biblia dice: "Acuérdate de tu Creador en los días de tu juventud, antes que vengan los días malos, y lleguen los años de los cuales digas: No tengo en ellos contentamiento" (Ec. 12:1). También dice: "Buscad a Jehová mientras puede ser hallado" (Is. 55:6). Eso sí es ser sabio.

LA LLAVE QUE CORRESPONDE

Jn. 14:6; 1 Ti. 2:5, 6

Objetos: Un candado cerrado y una llave que obviamente no corresponde a ese candado.

Ustedes ven este candado que quiero usar. Está cerrado, y no lo puedo usar así. Tendré que abrirlo con una llave. Bueno, aquí hay una llave. *(Intente meterla en el candado.)* ¿Qué pasa? Debe estar malo el candado, pues la llave no entra. ¿Qué dicen? ¿Que esta no es la llave que corresponde? Pero no importa. Yo quiero que lo abra esta llave; insisto en que esta llave lo haga. *(Siga intentando, simulando enojarse.)*

Bueno, niños, ¿ustedes se fijan que, por mucho que yo quiera que resulte esta llave, no me resulta? Hay allí una gran lección. Si aprenden desde niños que hay que usar la llave que corresponda, van a lograr mucho más.

Algunos, para obtener una buena calificación en la escuela, engañan en un examen o en un trabajo, pero no abren el candado del saber. Algunos, para conseguir dinero, roban, pero no abren el camino al verdadero bien. Hay que usar la llave del esfuerzo y del trabajo. Uno puede usar indebidamente su puesto o su influencia o su poder, pero éstos no conducen a la felicidad.

Así también es el camino a Dios. No faltan algunos que dicen: "Yo tengo mi religión." Pero para acercarse a Dios, no se usa la llave que queramos nosotros, sino la que dice él. No es el camino nuestro, sino el camino de él. Jesucristo dice: "Yo soy el camino, y la verdad, y la vida; nadie viene al Padre, sino por mí" (Jn. 14:6). También escribió el apóstol Pablo: "Hay un solo Dios, y un solo mediador entre Dios y los hombres, Jesucristo hombre, el cual se dio a sí mismo en rescate por todos" (1 Ti. 2:5, 6). Dios es Dios y es él quien fija las condiciones.

EL CONTENTAMIENTO POR DENTRO

Sal. 4:7, 8

Objeto: Grabado o dibujo de una persona con una amplia sonrisa.

Norma conversaba con su madre mientras ponían en orden la casa.

—Mamá —dijo ella—, ¿se ha fijado cómo sonríe la señora Olga? No creo que realmente tenga ganas de sonreír. Mueve la boca un poco, y nada más.

—Bueno, mi hijita —respondió la mamá—, es muy difícil sonreír por fuera cuando no hay una sonrisa por dentro.

—Así debe ser, mamá. ¿Y sabe? He pensado llevarle una flor. Tal vez estaría más contenta por dentro y tendría una sonrisa mejor.

—Esa es una idea muy buena, Normita. Y ¿sabes otra manera muy importante de producir una genuina sonrisa? En la Biblia, en el Salmo 4:7, se dice de Dios: "Tú diste alegría a mi corazón", y en el versículo siguiente dice el porqué: "En paz me acostaré, y asimismo dormiré; porque solo tú, Jehová, me haces vivir confiado."

—Eso es una gran cosa, ¿no es cierto, mamá?, saber que Dios nos ama y nos cuida. Eso debe hacer que estemos contentos. ¿Verdad que Dios nos sonríe también?

—Sí —dijo la mamá—, nos amó tanto que mandó a su Hijo Jesús para que muriera y así perdonarnos nuestros pecados, si estamos dispuestos a creer en él y hacerle Señor de nuestras vidas. Eso debe darnos gozo por dentro, un gozo que también se verá en nuestros rostros.

EL ESPEJO DE DIOS

Ro. 3:23; Stg. 1:22-24

Objeto: Un espejo o un grabado mostrando un niño con cara sucia mirándose en un espejo.

Memo había estado jugando, haciendo figuritas de barro. Por supuesto, se le ensuciaron las manos. ¿Les parece que la camisa se quedó completamente limpia? La mamá le había dicho que tuviera cuidado con su ropa, pero de todos modos la camisa se manchó un poco. Asimismo, cuando Memo puso una mano en la cara, ésta también se ensució.

Después, Memo se cansó de jugar con el barro. Recordó que se le había dicho que se lavara bien las manos, y las lavó. Vio la mancha en la camisa y le pasó su mano y después la toalla. Pero no se dio cuenta de que la cara también estaba sucia.

Entonces la mamá le vio y le dijo: "Guillermo, ¡qué bueno que te hayas lavado las manos sin que yo tenga que decírtelo, pero anda a mirarte la cara en el espejo para ver lo que ahora debes hacer."

Memo fue, se miró y se dio cuenta de la mancha que había en la mejilla. Iba a lavar la cara cuando su amigo Tito le llamó. Entonces se olvidó por completo de la cara sucia y salió a jugar con Tito.

¿Saben ustedes que hay mucha gente muy parecida a Memo, salvo que su mugre no está en la cara, sino en la vida? Cuando alguien les señala que esos males se llaman "pecado", dicen: "Pero yo no soy malo." ¿Saben? Eso significa que no se han mirado en el espejo de Dios, pues ese espejo nos dice: "Todos pecaron, y están destituidos de la gloria de Dios" (Ro. 3:23).

El espejo de Dios es la Biblia. Ella nos muestra lo que está limpio y lo que está sucio. Puede mostrarlo muy claramente, pero si no se le mira o si, mirándola, no se le hace caso, no asegura la limpieza. Al igual que Memo: Al comienzo él no sabía que su cara estaba sucia y luego, después de saberlo, no hizo nada por corregir la situación y entonces se le olvidó.

En el libro bíblico de Santiago (1:22-24) se dice: "Sed hacedores de la palabra, y no tan solamente oidores, engañándoos a vosotros mismos. Porque si alguno es oidor de la palabra pero no hacedor de ella, éste es semejante al hombre que considera en un espejo su rostro natural. Porque él se considera a sí mismo, y se va, y luego olvida cómo era."

CUANDO SE PARO EL RELOJ

Jn. 8:31, 32; Sal. 119:11

Objeto: Un reloj.

Miguelito iba a ir con su papá en el tren para ver a la abuelita. Llegaban cerca de la estación del ferrocarril cuando Miguelito vio unos bonitos juguetes en una vitrina.

—Papá, papá —dijo él—, déjeme mirar aquí. ¡Qué lindo!

Su papá miró su reloj y dijo:

—Bueno, todavía tenemos tiempo. Mira pero recuerda que ahora no vamos a comprar nada.

—No, papito; sólo quiero mirar.

Miguelito miró varias cosas: una pelota, un trompo, trenes. Allí estaba varios minutos muy entretenido, comentando las cosas con su papá. Después el papá miró su reloj otra vez para ver cómo andaba el tiempo. ¡Las agujas señalaban la misma hora de antes! ¡El reloj se había parado! Tomando a Miguelito de la mano, corrieron lo más rápido posible a la estación. Al llegar, vieron el tren desaparecer, saliendo del pueblo. ¡Llegaron atrasados y perdieron el tren!

Habían confiado en un reloj *(mostrándolo)* que no era confiable.

Del mismo modo hay muchas personas que confían en sus creencias y en su religión y pierden la vida con el Señor y el mismo cielo, porque han descansado en algo equivocado. ¡Y eso es peor que perder un tren!

Jesús nuestro Señor dijo: "Si vosotros permaneciereis en mi palabra . . . conoceréis la verdad, y la verdad os hará libres" (Jn. 8:31, 32). En otras palabras, si estudiamos bien la Palabra de Dios y nos esforzamos a obedecer a Cristo, vamos a seguir la verdad —lo correcto—, y no un reloj detenido, y esa verdad nos llevará a donde debemos ir. El Salmista (119:11) escribió: "En mi corazón he guardado tus dichos, para no pecar contra ti."

El leer y hacer caso de la Biblia, teniendo fe en Jesucristo, será un buen guía que nunca nos engañará.

EL MEJOR ESPEJO
He. 12:2; Mt. 14:22-33; Sal. 27:4; Mi. 7:7

Objeto: Un espejo.

¿Para qué sirve un espejo como este? Para mirarnos, ¿no es cierto? Queremos mirar si el pelo está bien peinado, si la cara está limpia, si la ropa está como debe estar. A veces no es sólo para mirar, sino para quitar una mancha de algo en la cara, o hacer algo para que nos parezcamos mejor.

Pero, ¿saben dónde podemos mirar para parecernos mejor? La Biblia recomienda algo que es más eficaz que ningún espejo. Dice en Hebreos 12:2: "Puestos los ojos en Jesús, el autor y consumador de la fe."

Una vez el Señor Jesús, en una tempestad, llegaba caminando sobre el agua para ayudar a sus discípulos. Simón Pedro quería andar sobre el agua también. Jesús le invitó y, mientras Pedro miraba a Jesús, estaba bien. Pero cuando tornó la vista para mirar las olas, empezó a hundirse. Jesús tuvo que tomarle de la mano para rescatarle. Esta historia está en Mateo 14:22-33.

Debemos mirar al Señor para pedirle que limpie nuestras vidas, para que nos enseñe, para que seamos más parecidos a él, en amor y adoración.

Se ha dicho que tendemos a ser parecidos a aquello que miramos y admiramos. Así bien dice el Salmista (27:4): "Una cosa he demandado a Jehová, ésta buscaré; que esté yo en la casa de Jehová todos los días de mi vida, para contemplar la hermosura de Jehová, y para inquirir en su templo."

Todavía haremos bien en mirar un espejo de vez en cuando, pero esa otra clase de mirada es aún más importante. Por eso el profeta Miqueas (7:7) dijo: "Yo a Jehová miraré, esperaré al Dios de mi salvación; el Dios mío me oirá."

¿CUAL ESTA DERECHO?

Jn. 14:6; Ez. 18:29

Objeto: Papel o cartón en que están dibujadas algunas líneas torcidas, por pares o más, y una sola línea derecha.

¿Ven estos dibujos de líneas? ¿Se nota que entre ellas hay una que es un tanto rara, pues es la única de su clase? ¿Cuál es?

Queremos algo que sea derecho. En este grupo de líneas, ¿podemos ver que sea así? Como es bueno ser derecho, supongo que habrá varias de esa clase, ¿no? ¿Qué dicen ustedes? ¿Hay una sola? ¿Qué esa tan rara entre las demás será la recta?

¿Saben, niños, que muchas veces es así en la vida? Cuando un niño, o un adulto, quiere seguir a Jesucristo y llevar una vida recta, en algunos lugares puede él ser la única persona que sea así. Ya que no es igual a los demás, no faltarán algunos que piensen que él es un tanto raro, que quiere ser diferente, que se cree más, y otras cosas por el estilo.

Pero, ¡sean ustedes rectos en su vida! Si hay otros que les quieren acompañar en ser fieles seguidores del Señor Jesús, ¡excelente! Es mejor así. Pero si tienes que andar solo en tu grupo, hazlo. ¿Acaso Jesús no tenía que andar solo a veces? Por la fidelidad tuya bien puede que otros se decidan también.

Hay algunos que creen que está bien ser iguales a otros, pero la verdad es que si los otros andan mal, ellos también irán mal.

¡Anda tú con Cristo! El representa el camino que te conviene. El dijo: "Yo soy el camino, y la verdad, y la vida; nadie viene al Padre, sino por mí" (Jn. 14:6).

Dios, por medio del profeta Ezequiel (18:29), dice: "Si aún dijere la casa de Israel: No es recto el camino del Señor; ¿no son rectos mis caminos, casa de Israel? Ciertamente, vuestros caminos no son rectos."

¡Vayamos por el camino recto de Dios!

COMO ACERCARSE A DIOS
Sal. 91:15

Objeto: Foto o grabado de una abuelita con su nieto.

¿Cuántos de ustedes tienen una abuelita o un abuelito? ¿Cuántos tienen dos abuelitas y dos abuelitos? Bueno, todos hemos tenido dos de cada uno, los padres de la mamá y los del papá, aunque no los hayamos conocido.

¿Conoces bien a tu abuelita o abuelito? ¿Tienes a otro que no conoces tanto? ¿A cuál quieres más? ¿No será la, o el, que te ha dado más atención? ¿El o la con quien estás más relacionado? No siempre es así, pero por lo general, lo es.

Es algo así con nuestra relación con Dios. Por supuesto, él es muchísimo más importante que ningún ser humano. Nos ama y desea lo mejor para nosotros. Dio lo más grande y noble, a su Hijo Jesucristo, para que tuviésemos la vida eterna. La Biblia no nos dice que le llamemos "Abuelito", sino "Padre celestial", especialmente cuando de veras creemos en él. Mientras más le conozcamos, tanto más le vamos a amar.

Cuando oramos a él, nos oye y contesta. No siempre nos

dice que sí, porque a veces pedimos lo que no será para nuestro verdadero bien. El sabe eso mejor que nosotros. ¿Nuestros padres siempre nos contestan que sí, cuando les pedimos cosas? Por supuesto que no. A veces ellos quisieran decir que sí, pero no pueden. A veces, tal vez podrían y no quieren. Pero en los más de los casos, cuando dicen que no, es porque entienden que no será lo mejor.

Si nuestros padres quieren tener lo bueno para nosotros, sepamos que Dios es mejor y mayor que ellos. El no tiene limitaciones, como las que tenemos los seres humanos. El quiere lo que realmente nos conviene.

Entonces, debemos sentirnos libres para amar al Señor, alabarle y pedirle cosas, pero siempre dentro de la sabia voluntad de él. Dios dice acerca de su pueblo: "Me invocará, y yo le responderé; con él estaré yo en la angustia" (Sal. 91:15).

No olvidemos que, al igual que con los abuelitos, el conocerle mejor nos da libertad para acercarnos a él con confianza.

¿UN REGALO DE RESTOS?
Ro. 12:1; Pr. 23:26

Objeto: Un bonito paquete para regalo, pero lleno de cáscaras de naranja, plátanos, etc.; también, puede contener papeles arrugados.

¿Te gustaría recibir un regalo así? *(Muestre el hermoso exterior.)* Me parece que sí, ¿no es cierto? Ahora, ¿a quién regalarlo? Quizá haya muchas personas que quisieran recibirlo, pero estoy pensando regalarlo a Jesús, por medio de su iglesia. Creo que a él le gustaría recibir un buen regalo, ¿no les parece?

Sin embargo, puede que a Jesús no le guste este regalo.

¿Tienes tú una idea de lo que contiene? Tal vez debemos abrirlo con cuidado, para poder hacerlo de nuevo *(ábralo)*, para estar seguros de que sea un regalo apropiado.

¡Mira lo que contiene! ¿A ti te gustaría recibir tal regalo? ¿Crees que Jesús quisiera recibirlo? Yo creo que no. Jesús merece los mejores de los regalos.

Pero ¿sabes? Esta es la clase de regalo que mucha gente le da a Jesucristo. Gastan los billetes para sí y le dan las moneditas más chicas para la ofrenda a Jesús. Van al culto para cantar sus alabanzas y aprender de él, cuando no hay un buen programa por televisión. Toman parte en la obra del Señor, si no hay otra cosa que quieren hacer. Le obedecen si parece que les conviene a ellos. Irán a la escuela dominical y quizá al culto el domingo en la mañana, con tal que él no les moleste durante el resto de la semana.

¿Te parece que esa es una manera justa de tratar al Señor Jesucristo? Yo no lo creo tampoco. El merece lo mejor y no sólo las sobras de nuestras vidas.

El apóstol Pablo nos dice que debemos hacer lo que él mismo hizo hace muchos años: "Así que, hermanos, os ruego por las misericordias de Dios, que presentéis vuestros cuerpos en sacrificio vivo, santo, agradable a Dios, que es vuestro culto racional" (Ro. 12:1). En Proverbios 23:26 el Señor dice: "Dame, hijo mío, tu corazón, y miren tus ojos por mis caminos."

LECCIONES DE UNA BOMBILLA ELECTRICA

Mt. 5:14; Jn. 8:12; Mt. 5:16

Objeto: Una bombilla eléctrica.

¿Qué es esto que tengo en la mano? ¿Una bombilla

(ampolleta, foco o como lo llamen en su país)? ¿Para qué sirve? ¿Para dar luz, dicen ustedes? Pero ésta no está dando nada de luz. ¿Por qué será?

La bombilla nunca dará luz hasta que esté conectada a una fuente de poder eléctrico. Hay que colocarla en un portalámpara y enchufarla a la corriente. Así, Jesucristo nos llamó "la luz del mundo" (Mt. 5:14), pero si no estamos relacionados con él como la verdadera "luz del mundo" (Jn. 8:12), no vamos a dar luz.

También, podríamos tener esta bombilla debidamente enchufada y todavía no daría luz, si la bombilla estuviera mala. Dentro de ella hay alambres de cierta clase, sin interrupción, encerrados en un vacío. Si hay un pequeño agujero donde puede pasar el aire, o si un alambre se parte, la bombilla ya no funciona, y hay que botarla. Esto pasa a nosotros. El Señor quiere que cada parte de nuestras vidas funcione bien. El Creador de la electricidad, que es Dios, fija las condiciones para la bombilla, y no el fabricante humano. Este sólo las aprende y se ajusta a las reglas de Dios. Así es en nuestras vidas.

También, fijémonos en que la bombilla dará mejor luz cuando esté limpia. ¿No han visto alguna vez una bombilla tan sucia que casi no se podía ver la luz? Para ser buena luz para Cristo nuestras vidas deben estar limpias.

A la vez, observemos que la bombilla da su luz para otros. No vive ni actúa únicamente para sí misma. Seamos así.

Por último, notemos que la buena bombilla da su luz en casi cualquier parte, sea en una sala lujosa o en un cuarto feo; pues su luz no viene de donde se encuentre, sino de donde está enchufada. Así, relacionados con Cristo, nosotros vamos a alumbrar en dondequiera que estemos.

Que Mateo 5:16 sea una grata meta para nuestras vidas: "Así alumbre vuestra luz delante de los hombres, para que vean vuestras buenas obras, y glorifiquen a vuestro Padre que está en los cielos."

EL SEÑOR VELA E HIJO
Jn. 10:10; Lc. 9:25

Objetos: Dos velas, las dos algo gastadas pero una mucho más que la otra. Si quiere, se podría poner una cara de papel grueso a cada una.

Hoy quiero presentarles al señor Vela y a su hijo. ¿Cuál creen ustedes que es el papá y cuál el hijo? ¿Cuántos creen que la vela larga es el papá? A ver, ¿cuántos creen que la vela corta es el papá? Bueno, pensemos un poco. No miremos tanto el tamaño sino el uso que ha tenido y que deberá tener todavía. ¿Cuál de las velas se ha usado mas? ¿Cuál tendrá aún más uso?

Creo que ya me comprenden, ¿no es cierto? El señor Vela es la más corta, porque se ha gastado más; y su hijo es la más larga y deberá durar más.

Nuestra vida es algo que Dios nos ha dado, y debemos usarla como él sabe que es mejor. No sabemos cuánto tiempo va a durar la vela de nuestro ser, pero toda la gente grande ya ha gastado una buena parte de sus años, y su vela se va achicando. Algunos la han gastado bien, y otros, no tanto. Se espera que la vela de cada uno de nosotros sea bien larga, aunque eso no lo sabemos. Pero sí, ojalá ustedes se esfuercen a que su vida sea buena y que la usen de acuerdo con las enseñanzas de Dios en la Biblia. El Señor Jesucristo dice: "Yo he venido para que tengan vida, y para que la tengan en abundancia" (Jn. 10:10). El puede dirigir nuestras vidas mejor que nosotros. Seamos sabios.

El también hace una pregunta que todos haremos bien en tratar de contestar bien: "¿Qué aprovecha al hombre, si gana todo el mundo, y se destruye o se pierde a sí mismo?" (Lc. 9:25). ¡No conviene que ninguno de nosotros echemos a perder nuestra vela! Sino que la aprovechemos todo lo posible.

LECCIONES DE UNA ROSA

Objeto: Una rosa u otra flor parecida.

¿Habrá algo que nos pueda enseñar una rosa? Yo creo que sí. En verdad, creo que muchas cosas en nuestro alrededor nos pueden dar hermosas lecciones, si tenemos ojos para verlas.

Primero, veamos cómo la rosa nos enseña el crecimiento. Esta rosa tan linda no siempre fue así. La planta creció, brotaron las hojas, y apareció un botoncito, y éste después se abrió hasta tener lo que aquí vemos. Nuestras vidas son así. Una vez un niño volvió a la casa después de su primer día en la escuela. Su mamá le preguntó lo que había aprendido. "Nada", fue la respuesta, "estuve en la clase todo el día y todavía no sé leer." Ese niño esperaba demasiado, ¿verdad? No se aprende tan rápidamente.

Segundo, notemos que una flor viene una sola vez, pero vienen más flores. A veces nos quejamos cuando otros echan a perder algo que creemos importante; pero no siempre tenemos el mismo cuidado, cuando nosotros somos los descuidados. Debemos apreciar las cosas por igual. Debemos recordar que la primera flor vale mucho, pero no debemos quejarnos, ni llorar si la perdemos o si no alcanzamos a ver la próxima.

Tercero, recordemos que una rosa tiene espinas, ¿o será que las espinas tienen una rosa? En la vida viene lo malo con lo bueno, y debemos aprender desde niño a aceptarlo así. No siempre vamos a tener sólo las cosas bonitas.

Cuarto, la parte que se aprecia por su hermosura no siempre es la más importante. A nosotros nos gusta la flor por su hermosura, pero lo importante para la abeja es el néctar y para la planta es la semilla, pues de ella se produce otra planta. Así, a veces vemos las cosas por lo bonito, aunque sirven para poco. Aprendamos a escoger sabiamente.

Por último, notemos que esta flor es bonita, pero pronto

se acabará. Se secará, pues ya no tiene raíz. Nunca tendrá otra flor. Nuestras vidas deben estar unidas al Señor, si queremos que sean buenas y largas.

¿No ven que podemos aprender cosas de una florecita como ésta?

UN SERMON DEL BOTON
Mt. 18:3; Jn. 15:5; 1 Co. 4:2

Objetos: Un botón que puede, o no, estar pegado a una prenda de ropa, sea de un niño o del propio relator; una tijera o una cuchilla.

Un botón así en la camisa (saco, etc.), ¿es útil? Creo que sí, ¿verdad? También, puede enseñarnos algunas lecciones. Ahora quiero señalar cuatro cosas acerca de los botones:

1. Es algo pequeño en sí. No es tan grande como una camisa o un pantalón o un saco. Pero la mayor parte de las prendas de ropa necesita botones. No debemos despreciar (tener a menos) las cosas chicas, ni a los niños. Nuestro Señor Jesucristo dice: "Si no os volvéis y os hacéis como niños, no entraréis en el reino de los cielos" (Mt. 18:3).

2. Aunque pequeño, el botón tiene un trabajo importante que hacer. No protege el cuerpo contra el frío, como una camisa, pero ayuda a la camisa en ese trabajo. Hace muchos años en la ciudad de Roma había un hombre llamado Pablo, cuya profesión era hacer tiendas (carpas). Estaba predicando y enseñando que Jesucristo es el Rey de todo el mundo. Eso no le gustó al rey Nerón, quien le echó en la cárcel. Nerón era un rey de mucha fama. Pero, ¿qué ha pasado? ¡Muy posiblemente una familia de ahora llamará a su hijo "Pablo", y "Nerón" a su perro! Al parecer, Pablo no era muy importante, pero el

tiempo ha indicado que sí lo era. De igual modo, ustedes también son importantes.

3. La utilidad del botón está en relación con algo muchísimo mayor. Un botón es útil sólo cuando está pegado a algo. Cuando no está pegado, no es útil, sólo tiene la posibilidad de serlo; es decir, será útil cuando esté pegado. Cuando cumple este requisito, cumplirá su propósito. Nosotros también, cuando estamos unidos con Dios, cumpliremos el propósito que él tiene para nosotros. Jesucristo dice: "El que permanece en mí, y yo en él, éste lleva mucho fruto; porque separados de mí nada podéis hacer" (Jn. 15:5). Supongamos que el botón fuese como algunas personas y dijese: "Quiero ser libre; quiero hacer lo que me da la gana." Así, ¿qué valdría el botón? Aprendamos de eso. Unidos con el Señor somos más útiles.

4. El botón debe ser lo que es y no sentirse triste porque no es otra cosa. A veces hace falta un botón grande y a veces uno chico. El chico no resultaría en un abrigo, ni el grande en una camisa. Pero en su lugar cada uno tiene una tarea. Tampoco debe un botón lamentarse porque no es camisa o un zapato. Así, cada uno de nosotros debe cumplir la tarea que Dios le ha dado. Lo importante es "que cada uno sea hallado fiel", como se dice en 1 Corintios 4:2. No vale la pena querer ser otra persona, porque no lo es. A veces, un niño o un adulto gasta su tiempo inútilmente lamentando que no es así o que es asá, que su familia no es tal o cual, u otra cosa por el estilo. Lo que debe hacer es cumplir lo mejor posible con lo que es, siendo sí lo más que le sea posible ser.

¿Creen ustedes que podemos recordar algunas de las lecciones del botón?

¿QUE CLASE DE VASO SOMOS?

Sal. 37:3, 5

Objetos: Tres vasos de cartón o de plástico delgado, sean en realidad o en dibujo, uno sano, y los otros dos con roturas evidentes, uno en el costado y otro en el fondo.

¿Serán estos tres vasos igualmente útiles? De ninguna manera. Este, con una rotura en el fondo, tal vez podría contener piedras, pero nada de agua o de leche. Este otro, con una rotura en el costado, retendría agua hasta la altura de la rotura, siempre que, al beber de él, se acordara de poner la rotura hacia arriba. Si no, el líquido se derramaría sobre la ropa. Sólo el vaso sano ofrece la seguridad necesaria para usarlo con confianza.

¿Qué clase de personas debemos de ser nosotros? ¿Qué podemos ofrecer a Dios y al· bien común de la gente? ¿Debemos ser lo menos o lo más posible? Por cierto, si yo no tuviera un vaso sin rotura, usaría con cuidado uno que tuviese la rotura en el costado. Quizá hasta el otro se podría usar provisionalmente, si ponemos un dedo sobre el agujero en el fondo. Pero, de todos modos, usaríamos con confianza sólo el vaso sano, ¿verdad?

Ahora, volvemos a la pregunta: ¿Qué podemos ofrecer a Dios y a la comunidad? Yo quiero ser lo más útil posible. Tú también, ¿no es cierto? Entonces, hay dos cosas muy importantes que debemos recordar: Primero, que entreguemos lo que tenemos y lo que somos al Señor. El puede usarlo mejor que nosotros, pues es mucho más sabio y capaz. Segundo, que seamos lo más sanos que nos sea posible, y él nos ayudará en ello. El Salmista bíblico dice: "Confía en Jehová, y haz el bien . . . Encomienda a Jehová tu camino, y confía en él; y él hará" (Sal. 37:3, 5).

Pidamos la ayuda de Dios para ser y hacer lo mejor posible.

¿CUAL ES MEJOR?

Jn. 10:10; Ro. 6:23

Objetos: Un hermoso ramillete de flores cortadas y una flor plantada, viva pero no desarrollada.

¿Cuál de estas flores encuentran ustedes mejor? Eso depende de lo que se quiere, ¿verdad? Si alguien quiere flores bonitas ahora, escoge el ramillete, aunque sabe que pasado mañana va a estar seco y feo y que no produce más. La plantita, en cambio, no está muerta como el otro; tiene vida y de aquí a algunas semanas, o meses, podrá tener flores, no una sola vez, sino varias veces.

Algunos niños, y también jóvenes y adultos, quieren lo bonito ahora sin importarles el futuro. Se interesan en pasarlo bien, aunque después les venga el mal. Eso no es sabio, ¿verdad? Está bien querer lo bueno ahora, siempre que no perjudique lo que será después. Algunos dicen: "Quiero vivir mi propia vida", olvidando lo que bondadosamente había dicho el Señor Jesucristo: "Yo he venido para que tengan vida, y para que la tengan en abundancia" (Jn. 10:10). También, la Biblia dice: "La paga del pecado es muerte, mas la dádiva de Dios es vida eterna en Cristo Jesús Señor nuestro" (Ro. 6:23).

Ojalá ninguno de ustedes se olvide de eso. Más bien, que en Cristo tengan la verdadera vida eterna, creyendo en él. Seamos, con la ayuda de él, todo lo que nos sea posible. El quiere ayudarnos a serlo.

EL BIEN Y EL MAL

Mt. 6:13; Ro. 7:21, 24, 25

*Objetos: Letras separadas: "B-I-E-N" y "M-A-L", pega-
das a los nudillos de sus dos manos.*

Cuando se junta un grupo de niños y quieren hacer algo
para mostrar que son grandes y fuertes, ¿qué hacen? ¿Hacen
algo bueno o algo malo? ¿No es triste pensar que en la mayoría
de los casos escogen hacer el mal?

¿Saben por qué es? Hay dos fuerzas luchando en
nosotros. Una es de Dios, y la otra es del diablo. Dios es lo que
podríamos llamar "un caballero": Aunque es todopoderoso,
nos dice lo que debemos hacer, pero no nos obliga a hacerlo;
nos respeta y permite que decidamos qué hacer. En cambio, el
diablo no es nada de caballero: Nos empuja y nos molesta y,
cuando le hacemos caso, nos hace sus esclavos, quitando
nuestra libertad. ¡Cuántos enviciados nos dicen que esa ha
sido su experiencia, y ahora no pueden dejar lo malo.

Aquí en mis dedos podemos ver algo de esta lucha. Una
mano dice: "B-I-E-N"; la otra dice: "M-A-L". BIEN es una
palabra más larga que MAL, pero no te dejes engañar. El
MAL es un luchador muy hábil. Cuando entrecruzo los dedos
de mis dos manos, y empiezan a luchar *(hágalo, moviendo y
retorciendo las manos como en lucha),* ¿cuál va a ganar? ¿Cuál
quieren ustedes que gane? ¿El BIEN? Mejor será así.

Pero, no debo creer que yo sólo soy capaz para asegurarlo
así. ¿Se acuerdan que en el Padre Nuestro se nos enseña a orar
al Padre celestial: "Líbranos del mal" (Mt. 6:13)? El diablo es
fuerte y muy astuto, y nos hará tropezar si no tenemos un
cuidado especial y no acudimos al Señor.

El apóstol Pablo en la Biblia habla de las luchas entre el
bien y el mal, y dice: "Queriendo yo hacer el bien, hallo esta
ley: que el mal está en mí", y luego agrega: "¡Miserable de

mí! ¿quién me librará de este cuerpo de muerte?" Pues el mal es como un cuerpo que cuelga sobre nosotros. Pero de inmediato Pablo puede añadir: "Gracias doy a Dios, por Jesucristo Señor nuestro" (Ro. 7:21, 24, 25)

Cristo es nuestro gran ayudador contra el mal y a favor del bien.

DEBIL PERO FUERTE

2 Co. 12:10; Fil. 4:13

Objeto: Un lápiz corriente de mina.

Graciela muchas veces había prometido a su mamá que no se iba a enojar tanto y que iba a portarse bien. Pero allí estaba otra vez llorando y gritando.. En otras ocasiones la mamá le había castigado. Pero esta vez esperó hasta que terminó de gritar, y entonces habló con la niña.

—Me siento mal, Chelita, cuando tú te portas tan mal. Eres tan bonita cuando te portas bien, y tan fea cuando te portas mal. Me pone muy triste ver a mi hijita así, y sé que Jesús se pone triste también.

La niña, cabizbaja, respondió:

—Lo siento, mamá. Trato de portarme bien y no puedo. Sencillamente, no puedo.

La mamá miró hacia la mesa y preguntó:

—¿Qué es eso allí?

Graciela, sorprendida, respondió:

—Pues es un lápiz, por supuesto.

—Y ¿qué puede hacer un lápiz solito *(muéstrelo)?*

—Pues, nada —dijo la niña—, alguien tiene que usarlo.

—Y hará bien o mal según quien lo tenga, ¿verdad?, hija.

—Sí, mamá.

—Bueno, tú no puedes hacer bien, pero si dejas que el

Señor te use, harás bien. Por cierto que no quieres que el diablo te utilice. Si eres débil, recuerda que el apóstol Pablo dijo: "Cuando soy débil, entonces soy fuerte" (2 Co. 12:10). También dijo: "Todo lo puedo en Cristo que me fortalece" (Fil. 4:13). Cristo te ayudará a ser fuerte. Acuérdate que cuando Jesús estaba en la tierra, él invitó a los niños a que se acercaran a él, y todavía lo hace. El quiere ayudarte a ser fuerte y a vencer las cosas malas. Tienes que pedir que él te ayude. Pero recuerda una cosa más: Al lápiz hay que sacarle punta a veces. Así tenemos que dejar que el Señor nos corrija. No lo olvides.

—Bueno, mamá, lo voy a recordar.

¿DONDE ESTA EL MAL?
Mr. 7:21; Sal. 51:10

Objetos: Un reloj despertador y/o dos manecillas (agujas) de cartón.

Mientras los padres de Alberto andaban fuera de la casa, éste se puso a jugar con el despertador. El reloj cayó, dejó de funcionar, y se le soltaron las manecillas. Alberto, apurado, trató de volver a colocarlas, pero todavía no andaba el reloj. Recordando que en la esquina había una relojería, donde a veces él había mirado trabajar al relojero, sacó las manecillas *(muéstrelas)* y las llevó al taller. Allí pidió:

—Señor Martínez, arrégleme estas manecillas, pues no quieren andar.

El relojero se sonrió y dijo al niño:

—Pero, Alberto, el problema no está con las manecillas. El problema está con el reloj. Tienes que traer el reloj para poder ver si lo puedo arreglar.

Alberto no lo podía comprender, pues eran las manecillas que no andaban bien, y el relojero le explicó: "Si las manecillas no andan, es porque algo está mal dentro del reloj. Tráeme el reloj con las manecillas." Cuántas personas son como Alberto. Creen que arreglando lo que pueden ver todo andará bien. Cuando las manos agarran el pelo de otro, o pelean, o roban, o hacen otro mal, o si la boca dice cosas feas y descorteses, es porque la cabeza, la mente o el corazón así lo enseña.

Nuestro Señor Jesucristo lo explicó así: "Porque de dentro, del corazón de los hombres, salen los malos pensamientos" (Mr. 7:21), y de allí vienen las malas acciones. El rey David, en el Salmo 51:10, hizo una oración: "Crea en mí, oh Dios, un corazón limpio, y renueva un espíritu recto dentro de mí."

Si el reloj anda bien, es más fácil arreglar las manecillas.

¿CREACION POR ACCIDENTE?

Jn. 3:16; Gn. 1:1; Sal. 100:3

Objeto: Letras del alfabeto en papelitos separados.

¿Qué les parece? *(Muestre las letras.)* Si yo tuviese letras suficientes y las tirara al aire, cuando cayeran al suelo, ¿formarían un libro? Creo que no. Pero, supongo que si quisiera formar un versículo de la Biblia, como Juan 3:16: "Porque de tal manera amó Dios al mundo, que ha dado a su Hijo unigénito, para que todo aquel que en él cree, no se pierda, mas tenga vida eterna." Tirando las letras al aire, podrían caer en ese orden, ¿verdad? ¡Tampoco! ¿Cuántas veces tendríamos que tirarlas al aire antes que formaran un versículo? ¡No lo harían nunca!

Bueno, pero ¿saben? Hay personas que dicen que nuestra

tierra, el sol y todo lo que hay se hizo solo. Eso sería muchísimo más difícil que un versículo bíblico, ¿no es verdad?

No; una frase, una oración gramatical, un poema o un libro es el resultado de la acción de una inteligencia.

Si yo les dijese que este reloj que llevo se hizo solo, tampoco lo creerían, ¿verdad?

Todo lo que hay es la creación de Dios. La Biblia dice: "En el principio creó Dios los cielos y la tierra" (Gn. 1:1). También dice: "Reconoced que Jehová es Dios; él nos hizo, y no nosotros a nosotros mismos" (Sal. 100:3). No lo explica, pues ¿qué explicación se puede dar? ¿Cómo podemos explicar a Dios, cuando ni siquiera podemos explicarnos a nosotros mismos?

Pero sí podemos vivir dándonos cuenta de que "pueblo suyo somos, y ovejas de su prado", como dice el resto de ese versículo bíblico.

Permitamos que el que nos creó nos dirija también.

LA MEJOR LINTERNA
Sal. 119:105

Objeto: Una linterna eléctrica, una antorcha u otra forma de lumbre.

Ya era de noche. Toñito quería salir al patio para buscar algo que había dejado allí. Pero el patio estaba oscuro y, bueno, Toñito tenía un *poquito* de miedo. ¿Tienes tú miedo de la oscuridad? A veces da un poco de susto, ¿verdad?

La mamá de Toñito le pasó una linterna, y ésta alumbró el camino. Pronto Toñito halló lo que buscaba y entró a la casa.

El papá de Toñito vio la mirada de contento en la cara del niño por estar de regreso con lo que se había perdido, y le preguntó:

—¿Sabes tú cuál es la mejor linterna en el mundo? El niño no estaba seguro. (¿Acaso sabes tú cuál es?) —Te voy a dar una idea —agregó el papá—. Se le llama "lámpara" en vez de "linterna".

—¡Ya sé! —gritó Toñito—. Es la Palabra de Dios, pues nos enseñaron un versículo bíblico que dice: "Lámpara es a mis pies tu palabra, y lumbrera a mi camino" (Sal. 119:105). ¿No es así, papá?

—¡Justo! Contestaste muy bien. Te felicito —dijo el papá, dándole un abrazo a su hijo—. En los tiempos cuando se escribió la Biblia, las calles no tenían luces ni existían linternas. La gente en la noche tenía que llevar consigo pequeñas lámparas con aceite de olivo o antorchas de madera. Pero ¿me puedes decir cómo la Biblia es parecida a una lámpara?

Toñito pensó un momento y luego respondió:

—Bueno, con la linterna puedo ver el camino en la oscuridad y no tropiezo con algo y no caigo. También con ella no necesito tener miedo. La Biblia también nos dice lo que debemos hacer.

—Muy bien de veras. Cuando vivimos de acuerdo con las enseñanzas de la Biblia, vamos bien y no tropezamos. Cuando no hacemos caso de sus enseñanzas, andamos en oscuridad y, tarde o temprano, nos va mal. Así es que la Palabra de Dios, para este mundo y el próximo, es la mejor linterna.

CANTANDO ALABANZAS A DIOS

Sal. 111:1, 2; 100:1, 2

Objeto: Un himnario y/o una Biblia.

¿Cuántos de ustedes saben leer? Muy bien, les felicito. Los otros van a aprender, ¿verdad? ¿Saben que se puede gozar de leer en muchas partes y mientras más se lea, más fácil es leer?

Ahora quiero recomendar algo qué leer y un lugar en qué hacerlo. A veces, mientras se está sentado en el templo, esperando que empiece el culto, un niño no sabe qué hacer. Se mueve de un lado a otro *(muévese)*. La mamá, o el papá, dicen que se esté quieto, y eso es algo difícil de hacer. Bueno, mi recomendación es, si sabe leer, que tome el himnario o la Biblia, para leer algo bueno.

Menciono el himnario primero, en esta ocasión, no porque sea más importante que la Biblia —porque no lo es—, sino porque es un medio para alabar a Dios. El libro de los Salmos en la Biblia también sirve muy bien para alabarle. *(Muestre el himnario y/o la Biblia.)*

El Señor ha hecho muchas cosas buenas para nosotros, tantas que comúnmente olvidamos que él lo ha hecho.

El rey David cantó y enseñó a cantar: "Alabaré a Jehová con todo el corazón en la compañía y congregación de los rectos. Grandes son las obras de Jehová" (Sal. 111:1, 2). Como ésos hay muchos versículos en la Biblia que valdría la pena aprender.

Hay buenos himnos que conviene leer y hasta aprender de memoria, sea en la clase, en la casa o mientras estés esperando algo. Por ejemplo, "Oh cuán dulce es fiar en Cristo". Otro sería "Señor, mi Dios, al contemplar los cielos" o un favorito de niños desde hace muchos años: "Cristo me ama, bien lo sé." También hay muchos otros. A lo mejor, cada uno de ustedes tiene uno que le gusta mucho, ¿no?

De veras, podemos decir: "Cantad alegres a Dios, habitantes de toda la tierra; servid a Jehová con alegría" (Sal. 100:1, 2).

¿QUE ESTA EN LA BIBLIA?

Sal. 119:105, 9, 11; Jn. 5:39

Objeto: Una Biblia con cosas metidas: un papel, peineta, foto, flor seca, etc.

El pastor estaba visitando en el hogar de los Alarcón. La pequeña Nélida se fijó en que él andaba con una Biblia y dijo:

—Nosotros también tenemos una Biblia.

—¿Sí? —respondió el pastor—. Me alegro. ¿Sabes tú lo que es la Biblia?

—Claro, es la Palabra de Dios. Mi mamá me lo dijo.

—¡Qué bueno! ¿Y sabes lo que está en la Biblia?

—Sí, una carta de la abuelita, una rosa seca y una peineta —fue la respuesta de Nélida.

¿Y saben, niños? Demasiadas veces parece que lo más importante es lo que está en la Biblia, pues algunas personas, en vez de leer la Biblia y oír la Palabra de Dios, más bien la usan para guardar entre sus páginas recuerdos que desean conservar. *(Muestre una Biblia en que están guardadas varias cosas.)*

Pero la Biblia no es para meter cosas entre sus hojas. Sus tesoros son para el corazón y para la vida, y llegan hasta nosotros al leer sus verdades eternas. En el libro de los Salmos (119:105, 9, 11) leemos: "Lámpara es a mis pies tu palabra, y lumbrera a mi camino . . . ¿Con qué limpiará el joven su camino? Con guardar tu palabra . . . En mi corazón he guardado tus dichos, para no pecar contra ti."

Para saber lo que realmente contiene la Biblia, tenemos que leer y estudiarla. Eso sí vale la pena. "Escudriñad las Escrituras" (Jn. 5:39).

UN PAQUETE BONITO PERO, ¿QUE HAY ADENTRO?

Sal. 119:105; Jn. 7:24

Objetos: Paquete hermosamente hecho y una Biblia.

Una familia vivía en un clima frío donde no crecían las palmeras y menos los cocoteros. A uno de los niños le gustaba en forma especial comer el coco. ¿Te gusta a ti, también? Una vez un familiar visitó una región donde había cocoteros y llevó a casa un coco en cuya corteza alguien había pintado un hermoso cuadro. Así, el coco se quedó en la casa muchos años sin que ese niño probara su pulpa. La familia había quedado satisfecha con la cáscara.

En el caso del coco, eso no era tan grave, pues había otras cosas para comer. Pero en cosas más importantes de la vida hay mucha gente que se queda enamorada del paquete y nunca mira lo que hay adentro.

Dios nos da muchas cosas bonitas. Una naranja es una fruta linda, pero ¿vamos a gastar todo el tiempo mirando la cáscara? Así también con un plátano o un tomate. El Señor nos ha dado bocas y estómagos que gustan de comer. Pero no nos olvidemos que nos ha dado otras cosas también.

Aquí tengo una Biblia. Hay algunas que tienen cubiertas muy atrayentes. Pero, díganme, lo importante de una Biblia, ¿es la tapa? Es lo que está adentro, ¿verdad? El mensaje de Dios está en sus páginas al cual hemos de leer y hacer caso. "Lámpara es a mis pies tu palabra" (Sal. 119:105). Dios nos ha dado la Biblia para guiarnos, y también el día domingo en qué adorarle en forma especial al Señor Jesucristo, quien murió en la cruz para salvarnos y darnos lo mejor.

No estemos tan ocupados con la cáscara del coco con su bonito cuadro, o el paquete con su lindo papel que olvidemos lo que está adentro. Nuestro Señor Jesucristo dice: "No

juzguéis según las apariencias, sino juzgad con justo juicio"
(Jn. 7:24).

SIGUIENDO EL MODELO

1 P. 2:21; Jn. 13:15; 15:11

*Objetos: Un papel en forma de corazón, tijeras y otro
papel por cortar.*

¿Qué es esto que tengo en la mano? *(Un corazón.)* Aquí
hay una hoja de papel para cortar otro corazón. *(Corte pero en
cualquier dirección.)* Ahora, ¿qué les parece el corazón que
acabo de hacer? Pero ese no es un corazón. *(Pretenda estar
enojado.)* Ese papel no sirve para nada; miren cómo se portó.
O puede que sea la culpa de las tijeras.

—No, usted lo cortó mal.

—¿Yo lo corté mal? ¿Cómo se les ocurre? No, no, no, ¡es
ese papel, o las tijeras!

(En serio.) ¿Cuál fue el problema? ¿No fue que no seguí
el modelo? Corté sin fijarme en cómo estaba el otro corazón,
¿verdad?

¿Saben? Hay muchas personas así. Hacen las cosas, y
salen mal; luego culpan a cualquiera, menos a ellos mismos.
Pero la verdad es que no han seguido el modelo. ¿Quién es el
mejor modelo, o ejemplo para nuestras vidas? (Jesús.)

Sí, el apóstol Pedro dice: "Cristo padeció por nosotros,
dejándonos ejemplo, para que sigáis sus pisadas" (1 P. 2:21).
Nuestro Señor Jesús mismo dijo a sus discípulos, y a nosotros:
"Ejemplo os he dado, para que como yo os he hecho, vosotros
también hagáis" (Jn. 13:15). La próxima vez que las cosas te
salgan mal a ti y te enojes, pregúntate si acaso seguiste bien al
modelo. Pero lo mejor es no esperar hasta que las cosas te

salgan mal, ¿no es cierto? Dejemos que Cristo dirija nuestras vidas todo el tiempo, y tendremos menos razón para enojarnos, y más razón para estar felices. Jesús dijo: "Estas cosas os he hablado, para que mi gozo esté en vosotros, y vuestro gozo sea cumplido" (Jn. 15:11).

¿SOMOS DUEÑOS DE QUE?
Sal. 24:1

Objeto: Un traje viejo de mujer.

Rosalía y Teresa estaban jugando a "la mamá". Habían encontrado algunas prendas de ropa de su mamá y se las habían puesto. Se miraban en el espejo y se sentían muy grandes. Entonces, hallaron un par de zapatos, también de la mamá. Rosalía empezó a ponérselos, pero Teresa quería quitárselos.

—¡Son míos! —gritó Teresa—, yo los vi primero.

—¡No, no, son míos! —respondió Rosalía.

Mientras se empujaban, luchando por los zapatos, la mamá les oyó y se acercó para separar a sus hijas.

—¿Cómo es eso? —ella preguntó—. ¿De quién son los zapatos?

Las niñas dejaron de pelear y empezaron a reírse.

—Bueno, mamá—dijo Teresa—, realmente son suyos.

—Pero ¿no acabo de escucharles decir que eran suyos? —preguntó la mamá.

—Sí, pero eso era sólo una manera de decirlo —contestó una, con una sonrisa pero algo avergonzada.

Entonces, su madre se sentó en el suelo con ellas y, con sus brazos alrededor de la cintura de las dos, dijo:

—¿Saben de qué me hace pensar todo eso? Dios nos da

muchas cosas: alimentos, ropa, un hogar, buena salud para poder trabajar, una mente capaz de pensar. Nos da todo, aunque realmente todo es de él.

—Yo sé —dijo Teresa—, pero la gente se porta como si fuesen de ella, tal como lo estábamos haciendo nosotras. Pero, en verdad, no pertenecen a la gente, ¿verdad?, mamá. Dios podría quitarlo todo.

—Sí, mi hijita —contestó la mamá—, él sólo permite que las usemos. Pero debemos usarlas bien, para nosotros y para otros. "De Jehová es la tierra y su plenitud" (Sal. 24:1).

DEFRAUDANDO AL DUEÑO
Hageo 2:8

Objetos: Una muñeca bonita y diez monedas de un mismo valor.

Corina estaba jugando en el patio de su casa con su muñeca. Angela y Beatriz eran vecinas, un poco mayores que Corina. Al ver a Corina con su muñeca linda, le preguntaron:

—¿Podemos jugar contigo con tu muñeca?

—Bien —contestó la chica, complacida porque las niñas más grandes querían jugar con ella.

Así empezaron. Pero muy pronto, Angela y Beatriz tenían la muñeca, jugando con ella, y no dejaron que la dueña tuviera ninguna parte, a pesar de sus protestas y sus llantos. Durante un largo rato siguieron así, y la pobre Corina se quedó mirando.

Esto sí, antes de regresar a su casa, le devolvieron la muñeca.

¿Creen que las dos niñas hicieron bien en dejar a su vecinita sin jugar con su propia muñeca? ¿Por qué no?

¿Saben que mucha gente hace algo muy parecido con

Dios? Toman las cosas que pertenecen al Señor, las usan y, por lo general, ni le dan las gracias y, menos, dejan algo para él. Pero llegará el día en que todo lo van a dejar. Cuando se mueran, si no antes, no van a llevar nada.

Y, cosa interesante —mientras vivimos aquí en este mundo, Dios permite que usemos sus cosas. Pero esto sí, pide que le devolvamos la décima parte como mínimo y que usemos lo demás para nuestro bien y de acuerdo con el propósito de él. Lógicamente, al entregarle a él el diezmo *(muestre una moneda)*, eso no nos da el derecho de usar lo demás *(muestre las otras nueve monedas)* para dañar a otros ni a nosotros mismos, pues nuestras vidas le pertenecen también.

Hay muchas partes de la Biblia que dicen eso. Una de ellas es Hageo 2:8 que dice: "Mía es la plata, y mío es el oro, dice Jehová de los ejércitos."

EL DADOR ALEGRE

Mal. 3:8, 10; 2 Co. 9:7

Objetos: Billetes de dinero, sean genuinos o dibujados; uno de suma grande, otro de un décimo de ese valor y otro billete, o moneda, de un décimo del valor de éste.

Si tú tuvieses un millón de dólares (pesos, etc.), ¿estarías dispuesto a dar la mitad a Jesús por medio de la iglesia? No sería ningún problema, ¿verdad? Si tuvieses medio millón, ¿darías la décima parte al Señor? Creo que sí, ¿no es cierto? ¡Muy bien!

Pero ahora, otra pregunta: Si tienes un dólar (peso, etc.), ¿vas a dar diez centavos al Señor? ¿Hay más duda esta vez? Eso es más difícil, porque es posible que tengas un dólar (peso, etc.).

En otras palabras, es más fácil prometer cuando no

tenemos nada y más difícil cuando se trata de lo posible.

Sin embargo, el Señor no quiere que le entreguemos lo que no tenemos. El quiere que aprendamos a expresar la gratitud y la generosidad a base de la realidad nuestra. No se ha fijado un límite en cuanto a las ofrendas. Pero él ha establecido como norma mínima la décima parte, o el diezmo. Esta expresa nuestro sentido de dependencia de él, y como aporte a la extensión de la causa de Cristo en el mundo.

El profeta Malaquías (3:8, 10) lo expresa así: "¿Robará el hombre a Dios? Pues vosotros me habéis robado. Y dijisteis: ¿En qué te hemos robado? En vuestros diezmos y ofrendas . . . Traed todos los diezmos al alfolí y haya alimento en mi casa; y probadme ahora en esto, dice Jehová de los ejércitos, si no os abriré las ventanas de los cielos y derramaré sobre vosotros bendición hasta que sobreabunde."

¿Y saben? Hay algunos niños, y grandes también, que se olvidan de esto. Incluso, ¡hay algunos que usan su ofrenda de la escuela dominical para comprar chicle o golosinas! ¿No es eso robar a Dios? No debemos hacerlo así. Si tenemos mucho dinero *(muestre billete)*, el diezmo sería esto *(muestre billete mediano)*. Si tenemos solamente esa cantidad *(muestre el mismo)*, entonces el diezmo sería esto *(muestre el de menos valor)*. No olvidemos que "Dios ama al dador alegre" (2 Co. 9:7).

COMO DIOS CONTESTA

1 Jn. 5:14, 15

Objeto: Un cartón con tres dobleces, formando un triángulo; a un lado dice "Sí", a otro "No" y en el tercero "Espera".

Margarita deseaba mucho tener una muñeca con cabellos verdaderos y que dijera "mamá". Ella nunca había tenido algo tan bonito. Ya que ella iba a cumplir años muy pronto, se puso a orar que el Señor le diera una muñeca así. Oraba todos los días. Entonces, por fin, llegó el día de su cumpleaños. Pero no llegó la muñeca con cabellos y una voz que dijera "mamá". Había para ella un juguetito sencillo, pero no una muñeca.

El papá sabía que Margarita se sentía triste y le pidió disculpas. Dijo:

—Lo siento mucho, mi hijita, pero tú sabes que somos muy pobres y que es más importante tener algo para comer antes que una muñeca. No quiero que eches la culpa a Dios por ello, pensando que él no contesta nuestras oraciones.

—No, papá —contestó la niña, tratando de mostrar una sonrisa—, yo comprendo. Sé que trabajas mucho pero que ganas poco y que somos varios en la familia. También sé que Dios contesta las oraciones. En la escuela dominical nos enseñaron que él siempre oye y que a veces dice: "Sí"; a veces: "No"; y a veces: "Espera". *(Muestre el triángulo de cartón.)* Esta vez creo que me ha dicho: "Espera".

¿No creen ustedes que Margarita era una niña sabia?

El apóstol Juan, durante una larga vida, comprobó lo que escribió: "Esta es la confianza que tenemos en él, que si pedimos alguna cosa conforme a su voluntad, él nos oye. Y si sabemos que él nos oye en cualquiera cosa que pidamos, sabemos que tenemos las peticiones que le hayamos hecho" (1 Jn. 5:14, 15).

¡YO QUIERO ALGO FACIL!
Jn. 12:24; Lc. 2:52

Objetos: Un libro y dos o tres semillas pequeñas, tales como las de naranja, manzana, apio, etc.

—No me gusta ir a la escuela —dijo Emilio.

—Y ¿por qué? —preguntó su papá con sorpresa.

—Porque tengo que sentarme mucho tiempo y no puedo salir a jugar con mis amigos.

—Entonces, siempre quieres algo fácil, ¿verdad? ¿Crees tú que todas las veces podemos hacer lo que es más fácil y bonito para nosotros?

—Y ¿por qué no? —contestó Emilio.

Luego, el papá le tomó de la mano de modo que el hijo se sentaba al lado de su padre. También tomó algunas semillas de una naranja (u otra fruta) que había estado comiendo. Entonces dijo:

—Mira estas semillas. ¿Crees tú que podrían llegar a ser árboles (plantas)? Lo podrían, ¿verdad?, aunque demorarían mucho en hacerlo. Pero ¿qué habría que hacer? Colocarlas en un suelo húmedo. Pero supongamos que una de estas semillas dijera: "¡No quiero estar en la tierra húmeda donde está oscuro y donde yo podría pudrirme! Ponme sobre una mesa frente a la ventana donde puedo mirar los pájaros y las nubes. Eso me gustaría más." Dime, hijo, ¿así la semilla llegaría a ser árbol? ¡Nunca!, ¿no es cierto?

—Para lograr algo que vale la pena tenemos que trabajar, estudiar y hacer muchas cosas que no son las más agradables. Una vez el Señor Jesucristo, frente al pensamiento de que tendría que morir para salvar a la gente de sus pecados, dijo: "Si el grano de trigo no cae en la tierra y muere, queda solo; pero si muere, lleva mucho fruto" (Jn. 12:24). Nuestro Salvador no tenía ganas de morir, pero estaba dispuesto a morir, porque nos amaba a todos.

—Es cierto, papá —murmuró Emilio.

—Además —continuó el padre—, Jesucristo mismo, cuando era niño había ido a la escuela juntamente con sus compañeros. También la Biblia dice: "Jesús crecía *en sabiduría* y en estatura, y en gracia para con Dios y los hombres" (Lc. 2:52).

—Bueno, papá, quiero ser como Jesús. Voy a estudiar y

escuchar bien, tanto en la escuela durante la semana como en la escuela dominical y el culto.

El papá sonrió y contestó:

—Me alegro por ello. Y no dudo que vas a poder hacerlo.

¿VALE LA PENA CUIDARLA?

Pr. 11:19, 20

Objetos: Dos macetas, una con una flor linda y la otra con maleza.

Aquí tenemos dos hermosas flores, ¿no les parece? ¿Qué dicen ustedes? ¿Que una no es bonita? ¿Cuál es la fea? Buena cosa, ¿no?

Ahora, pensemos un poco más: ¿Cuál de estas plantas necesita más cuidado, y cuál crece sola sin que uno tenga que hacerle casi nada? Ustedes lo han dicho bien: La planta con la flor bonita la tenemos que cuidar; pero la maleza, si recibe algo de agua y luz, crece solita.

¿Saben que así es la vida? Si una persona está dispuesta a que su vida sea como la maleza, no tiene que hacer casi nada. No tiene que estudiar, ni lavarse la cara, ni preocuparse por hacer lo bueno, ni asistir a los cultos de la iglesia. Puede crecer como un animalito. Probablemente, no vivirá tantos años como si tuviese mayor cuidado, pero tendrá que hacer poco esfuerzo.

Pero ¿quieres tú esa clase de vida? Creo que no. Queremos que la vida sea la mejor posible. Dios sabe cómo tener una buena vida mucho más allá de lo que nosotros supiéramos, ¿verdad? El puede dirigirnos bien. En la Biblia, como en la vida misma, hay mucho que nos muestra esto. Entre otros versículos bíblicos, Proverbios 11:19 dice: "Como la justicia conduce a la vida, así el que sigue el mal lo hace para su muerte." También el versículo siguiente dice: "Abominación son de Jehová los perversos [torcidos] de corazón, mas los perfectos de camino le son agradables."

¡No seamos como la maleza, sino como las flores hermosas!

PIEDRAS PRECIOSAS

Pr. 22:6; 3:11, 12; He. 12:11

Objetos: Una piedra rústica y una pulida. Pueden ser piedras corrientes, una de las cuales ha sido redondeada por el rodar en agua; mejor será si son piedras de algún valor, como joyas.

Ustedes ven estas dos piedras. Una es más bonita y agradable que la otra que tiene aristas y partes ásperas. ¿Cómo se explica la diferencia? Esta rústica se presenta más o menos como salió de la peña. La otra, mucho más redondeada, se ha golpeado contra muchas piedras y otras cosas duras hasta quitar en gran parte las asperezas. Normalmente esa operación se hace por el agua corriente, que lleva las piedras, las cuales se golpean una contra otra durante largos años. En el caso de las piedras preciosas esos golpes para emparejarlas son la obra de máquinas.

Una piedra pulida pierde a lo menos un tercio de su materia. ¿Vale la pena? Creo que sí.

¿Qué nos enseña eso? Que los golpes que recibimos deben quitarnos las aristas y las asperezas. El sufrimiento es una forma de esos golpes. A veces nuestros padres nos aconsejan. También nos premian por algo bueno que hemos hecho. Pero el quitar las asperezas a menudo es doloroso.

En Proverbios 22:6 se nos dice: "Instruye al niño en su camino, y aun cuando fuere viejo no se apartará de él."

También, Proverbios 3:11, 12 dice: "No menosprecies, hijo mío, el castigo de Jehová, ni te fatigues de su corrección; porque Jehová al que ama castiga, como el padre al hijo a quien quiere."

Finalmente, en Hebreos 12:11: "Es verdad que ninguna disciplina al presente parece ser causa de gozo, sino de tristeza; pero después da fruto apacible de justicia a los que en ella han sido ejercitados."

LOS NIÑOS CRECEN Y LLEGAN A SER GRANDES
Ec. 12:1; Pr. 16:32

Objeto: Grabado de una niña y otro de una mujer adulta, o de un niño y otro de un hombre, o todos éstos.

¿Conoces tú a alguna persona mayor de edad que se enoja fácilmente y habla fuerte, tal vez usando palabras que no son bonitas? ¿Te gustaría estar cerca de esa persona cuando se comporta así? A veces hay razón para estar enojado, pero ¿cómo debe alguien portarse cuando está así? ¿Crees tú que un papá o una mamá debe tirar cosas o hablar disparates cuando están de mal genio?

Pero ¿cuándo crees tú que ese papá o esa mamá empezó a mostrar su mal genio? ¿Crees que llegaron a hacerlo cuando estaban ya mayores de edad? No, lo comenzaron siendo aún pequeños. Si tienen mal genio siendo mayores de edad, es porque eran así cuando niños. Una planta crece derecha o torcida cuando es chica.

Así, tú debes pedir a Jesús que te ayude a ser amoroso y bondadoso ahora y a aprender a controlar el genio cuando todavía seas joven. De otra manera, la gente va a tener muchas dificultades al tratar contigo cuando seas grande. *(Muestre los grabados.)* La niña llega a ser mamá, y el niño a ser papá. Los niños mal enseñados después son grandes mal enseñados, descontentos, malhumorados que echan la culpa por sus infelicidades a cualquier otro, menos a quien corresponde, a ellos mismos.

Fue un hombre a quien Dios dio sabiduría el que escribió en el libro bíblico de Eclesiastés (12:1): "Acuérdate de tu Creador en los días de tu juventud, antes que vengan los días malos, y lleguen los años de los cuales digas: No tengo en ellos contentamiento."

Además, bien dice Proverbios 16:32: "Mejor es el que tarda en airarse que el fuerte; y el que se enseñorea de su espíritu, que el que toma una ciudad." Con la ayuda del Señor, aprendamos a controlarnos.

ALGO QUE LOS CRISTIANOS PUEDEN QUITAR

Neh. 9:17; Ef. 4:31, 32

Objeto: Máscara de una persona enojada; puede ser una hoja de papel con el dibujo de una persona enojada.

Cuando Manuelito no conseguía lo que quería, gritaba. Si todavía no le hacían caso, se tiraba al suelo, gritaba más fuerte y pateaba. Encontró que si gritaba mucho, pateaba duro y se le ponía la cara roja, su mamá le daba lo que él quería. Entonces sí se calmaba.

Así creció Manuelito, con un genio terrible, gritando a su familia y a sus amigos y, si no conseguía lo que quería, los insultaba y les tiraba cosas.

Ya siendo hombre Manuel se casó. Siempre tenía que

salirse con la suya. Cuando su esposa e hijos no hacían de inmediato lo que él deseaba, les gritaba y les pegaba. Su esposa le tenía miedo, y sus hijos no lo amaban.

¿Qué les parece si Dios, nuestro Padre celestial, hiciera esto con nosotros? ¿Qué sucedería si cada vez que fuésemos desobedientes, él se enojara y nos alcanzara con un rayo o una enfermedad? Nos estaría castigando todo el tiempo, ¿no es cierto? Es verdad que a veces él tiene que castigarnos pero, como descubrió Nehemías (9:17), Dios es "tardo para la ira, y grande en misericordia". El nos ama y quiere ayudarnos.

¿Y Manuel? ¡Qué importante es que pida que Dios le perdone y le ayude a actuar mejor, para el bienestar y la felicidad de la familia y de él mismo! Tal como es, nadie está contento. El y todos nosotros necesitamos aprender lo que el apóstol Pablo, bajo la dirección de Dios, escribió a los Efesios (4:31, 32): "Quítense de vosotros toda amargura, enojo, ira, gritería y maledicencia, y toda malicia. Antes sed benignos unos con otros, misericordiosos, perdonándoos unos a otros, como Dios también os perdonó a vosotros en Cristo."

AYUDA PARA SER FUERTE
Fil. 4:13; 2 Co. 12:10

Objeto: Una piedra del tamaño del puño, más o menos.

¿Cuántos de ustedes podrían levantar esta piedra? Todos, ¿no es cierto? Pero supongamos que esta piedra fuese más grande que la cabeza, ¿sería igualmente fácil? Claro que no.

Eso me hace recordar a un niño, Samuel, que se quejó ante su padre, pues quería quitar una piedra y tuvo que decir: "No puedo hacerlo."

—Bueno —dijo su papá—, ¿has pedido ayuda? Si está

estorbando esa piedra, a lo mejor, entre los dos podríamos rodarla.

Así, Samuel y su padre quitaron la piedra.

Tantas veces en la vida se nos presentan tales casos. El apóstol Pablo tenía muchas cosas que hacer en la causa de Cristo. Pero en una ocasión él estaba en la cárcel por hablar acerca de Jesucristo. ¿No sería eso algo muy difícil? ¿No crees tú que él habría preferido estar en otra parte y no en una cárcel? Yo creo que sí. Pero, ¿habrá él lamentado: "No, puedo"? Veamos lo que dijo. Miremos aquí en su carta a los Filipenses (4:13): "Todo lo puedo en Cristo que me fortalece." Fíjense que no dijo con orgullo: "Todo lo puedo", sino que, con humildad y reconocimiento "Todo lo puedo *en Cristo* que *me fortalece.*"

Tal como Samuel pudo levantar la piedra con la ayuda de su papá, tú puedes hacer muchas cosas buenas con la ayuda del Señor Jesucristo. Lo que debemos hacer es creer en él y pedirle que nos ayude. El nos enseñará a tomar nuestra parte del peso, y él hará lo demás. El debe dirigir. Por su fe en Cristo, el apóstol aprendió a decir: "Cuando soy débil, entonces soy fuerte" (2 Co. 12:10).

LAS APARIENCIAS ENGAÑAN

1 S. 16:7; Jn. 7:24

Objetos: Dos palos cortitos, uno de los cuales, sin que sea notable, está casi partido.

¿Ven estos dos palitos? Parece que son más o menos iguales, ¿no? Pero sólo lo parece. Pues bien, éste es más fuerte *(ponga algo de esfuerzo como para quebrarlo);* y el otro es más débil *(con un dedo empuje para mostrar donde está partido),* y sería fácil quebrarlo.

Así es con muchas cosas. Hace años en la República de Chile, en un barrio las casas parecían estar bien construidas. Pero vino un terrible terremoto. Entonces se vio que algunas estaban bien construidas sobre tierra firme. Otras no estaban bien hechas, y cayeron. Dos niños tenían pelotas de fútbol. Una estaba bien hecha y duró mucho; la otra tenía un pequeño defecto y, después de un poco de uso, se deshizo.

También, la vida es así. Debemos tener cuidado de no mirar sólo el exterior y lo inmediato. Cuando el profeta Samuel fue a la casa de Isaí para seleccionar al futuro rey de Israel, casi se equivocó; pero Dios le dijo: "El hombre mira lo que está delante de sus ojos, pero Jehová mira el corazón" (1 S. 16:7). Años después el Señor Jesucristo dijo: "No juzguéis según las apariencias, sino juzgad con justo juicio" (Jn. 7:24).

No seamos engañados. Tengamos cuidado y tratemos de mirar las cosas y a las personas como Dios las mira.

LA REGLA DE ORO
Ro. 13:9; Mt. 7:12

Objeto: Un papel para hacer dos listas: (1) de lo que queremos que otros nos hagan, y (2) de lo que otros querrían que nosotros hiciéramos.

Chabelita era mayor que su hermano Donaldo. A veces lo cuidaba bien, pero otras veces no lo hacía así. En vez de ayudarlo, le quitaba sus juguetes, insistía en tener el pedazo de pan más grande, o corría a contarle a la mamá cuentos acerca de "Donaldo hizo esto" o "Donaldo hizo eso". Quería que la mamá regañara a su hermanito.

Un día la mamá de Chabelita tomó un papel grande y trazó una línea por el medio con un lápiz. Entonces le dijo a su hija:

—Quiero que te sientes y escribas a un lado de la raya todas las cosas que tú quieres que haga Donaldo. O, si prefieres, dímelas a mí, y yo las escribo.

—Eso sería mejor, mamá —dijo Chabelita—, pues son tantas, y yo no escribo muy rápido ni puedo escribir todas las palabras.

Así empezó la lista, y muy pronto tenía casi la mitad de la hoja llena con las cosas que ella quería que Donaldo hiciese.

—Muy bien —dijo mamá—, es una buena lista. Ahora anotemos en la otra mitad las cosas que tú puedes hacer para Donaldo. ¿Qué querría él que tú hicieras?

Al comienzo Chabelita no podía pensar en más de dos o tres cosas. Entonces la mamá observó:

—¿Te acuerdas de lo que dice la Biblia: "Amarás a tu prójimo como a ti mismo" (Ro. 13:9)? Y en otra parte dice: "Todas las cosas que queráis que los hombres hagan con vosotros, así también haced vosotros con ellos" (Mt. 7:12).

Chabelita agachó la cabeza y se sonrojó. Pronto, con la ayuda de la mamá, tenía una lista larga.

Después de eso Chabelita y Donaldo jugaron juntos, y los dos eran más felices.

COMO PASARLO REALMENTE BIEN

Sal. 40:8

Objeto: Dibujo de una cara, sea triste o sonriente; preferiblemente una que al darle vuelta muestre las dos actitudes.

Un hombre muy rico se sentía deprimido y triste. Creía que estaba enfermo, y fue a consultar a un médico que era un buen cristiano. Este sabía cuál era el verdadero mal de su cliente y le sugirió:

—Deje de trabajar durante unos días, tome una buena cantidad de dinero y busque personas realmente necesitadas. Si usted no las conoce, el pastor de la iglesia puede ayudarle a hallarlas. Compre para ellas algunas cosas que necesiten y ayúdeles si puede.

El rico no estaba muy convencido, pero decidió probarlo. Lo hizo y a la semana siguiente volvió a donde el médico y le dijo:

—Me siento muy bien y nunca en mi vida he pasado un tiempo tan feliz. Usted no podría haberme recetado una medicina mejor.

Así fue y así debe ser. Por supuesto, el hacer eso no sana todas las enfermedades, pero el ayudar a otros es la manera de realmente pasarlo bien.

Algunos creen que nuestro Señor Jesucristo estaba siempre triste. Es cierto que le daba tristeza ver cómo la gente se portaba mal y cómo eso traía problemas graves para ellos. Pero, a pesar de todo, Jesús se sentía contento. Le gustaba ayudar a las personas. Gozaba al estar con la gente en una boda; gozaba al enseñarles la Palabra de Dios. Gozaba al acariciar a los niños. Trabajaba mucho para atender a la gente y hasta fue a la cruz para que pudieran tener vida eterna aquí en el mundo y también en el cielo para siempre.

Mucho antes el Salmista había expresado en su nombre: "El hacer tu voluntad, Dios mío, me ha agradado" (Sal. 40:8). Gozaba en hacer lo que quería su Padre celestial.

¿Puedes tú decir: "Me gusta hacer lo que Dios quiere"? El quiere que le amemos y que le sirvamos, y también a la gente.

¡ESTE AGRADECIDO!
Col. 3:15; Ef. 5:20

Objeto: Grabado de una niña o niño enojado y quejumbroso.

"¿Tengo que ir a la escuela?" "¿Por qué siempre me toca a mí lavar los platos?" "¿Por qué otro no puede arreglar la cama?", rezongaba Norma.

En una ocasión la mamá le dijo:

—Normita, parece que siempre estás quejándote.

—Bueno, y ¿qué debo hacer?

—Jesús quiere que siempre demos gracias por todo. El apóstol Pablo, aun desde la cárcel, escribió: "Sed agradecidos" (Col. 3:15), y también: "dando siempre gracias por todo al Dios y Padre, en el nombre de nuestro Señor Jesucristo" (Ef. 5:20).

—¿Siempre? ¿Por todo? —preguntó Norma atónita.

—Eso es lo que dice la Biblia —respondió mamá.

—¿Eso quiere decir que yo debo dar gracias a Dios por tener que lavar los platos y arreglar la cama?

—En cierto sentido sí —dijo mamá—; hay muchos niños en el mundo que no tienen que lavar platos, porque no tienen platos y nunca tienen mucho para comer, y no tienen una cama para poderla arreglar.

—Entonces —exclamó Norma—, ¡yo debo dar gracias al Señor por los alimentos que ensucian los platos y darle gracias por tener una cama en que dormir!

—Justamente, hija, y otras cien cosas así. Además, "dando siempre gracias por todo" hará que mi niña esté mucho más contenta y que sea más bonita.

UNA CAJA PARA QUEJAS

Fil. 2:14

Objeto: Una cajita con una leyenda que diga: "Caja para Quejas".

En la casa de los Silva siempre había quejas. Cuando el caldo estaba caliente, alguien se quejaba. Si no estaba bien caliente, otro se quejaba. Los niños se quejaban cuando les llamaban de sus juegos para ir a la mesa a comer. También si se atrasaba la comida se quejaban. Se quejaban cuando debían ir a la cama y cuando tenían que levantarse. Si había alguna razón las quejas venían; igualmente pasaba cuando no había razón alguna.

El señor Silva, tal como los niños, era muy dado a quejarse.

¿Creen ustedes que esa era una familia feliz? Imposible, ¿verdad? Los que se quejan no son felices, ni los que tienen que escuchar sus lamentos tampoco.

Por fin, a la mamá se le ocurrió algo. Preparó una cajita como ésta *(muéstrela)*. Le abrió una ranura y le puso un rótulo: "Caja para Quejas". La llevó a la mesa donde la familia estaba reunida.

—Tengo una proposición —anunció la mamá—; estamos tratando de reunir dinero para comprar un buen sillón. ¿Qué les parece si, ya que somos una familia tan buena para quejarnos, cada vez que alguien se queje, tenga que echar una moneda por la ranura? Así, más pronto podremos comprar el sillón.

—¡Bueno! —dijeron todos, pues no sólo deseaban ese sillón, sino que estaban cansados de los refunfuños, si no de los propios, sí de los de los demás.

Pero las monedas empezaron a escasear, y así también las

quejas. De todos modos, después de algún tiempo abrieron la caja, y tenía 209 monedas.

Poco a poco estaban aprendiendo a no quejarse tanto.

Y casi me olvidé de decirles que la mamá había puesto en la caja un versículo bíblico, algo que dijo el apóstol Pablo, cuando estaba en la cárcel por predicar el evangelio: "Haced todo sin murmuraciones y contiendas" (Fil. 2:14).

COMO QUITAR LA TRISTEZA
Sal. 104:33, 34

Objeto: Grabado de un niño o una niña cantando.

Roberto se sentía triste. Su mejor amigo había salido con la mamá, de modo que no podían jugar juntos. El día estaba nublado y también se veía triste; nadie tenía tiempo para entretenerle. Pero de repente se le ocurrió algo. Roberto empezó a cantar:

"¿Cómo podré estar triste? ¿Cómo entre sombras ir? . . .
Feliz, cantando alegre, yo vivo siempre aquí:
Si él cuida de las aves, cuidará también de mí."

(Se puede usar otro canto de contentamiento que sepan los niños.)

Pronto Roberto se sintió mejor. Se le fue el sentir de desaliento.

¿Sabían ustedes que el cantar al Señor es mejor que medicina para esa clase de mal? ¿Has sentido que nadie te quiere? Canta: "Sí, Cristo me ama." ¿Has deseado tener más amigos? Canta: "Oh, qué Amigo nos es Cristo." Hay muchos himnos y "cantitos" que nos alientan para la vida diaria, y especialmente para la vida cristiana, sea para entregarnos a él o para andar mejor en la vida que él nos da.

Si sabes leer, hay muchas oportunidades en que puedes tomar el himnario y ponerte a aprender un himno. Si hay un himnario en la casa, y es bueno que haya, o si estás esperando en el templo a que empiece la reunión o que un familiar mayor termine de conversar, o en otras ocasiones, puedes cantar. Hay muchos himnos que son muy bonitos.

Esto ayudará para hacer lo que se dice en uno de los salmos bíblicos: "A mi Dios cantaré salmos mientras viva. Dulce será mi meditación en él; yo me regocijaré en Jehová" (Sal. 104:33, 34).

COMO HERMOSEAR EL ROSTRO

Pr. 15:13; Sal. 100:1

Objeto: Una máscara de un rostro triste.

Rosita estaba muy triste, y su cara larga hizo que su mamá le preguntara qué le pasaba. Entonces las lágrimas empezaron a brotar de los ojos, y a caer por sus mejillas. *(Muestre la máscara.)*

—No es justo, mamá. Nadie me quiere.

—¿Cómo es eso, mi hijita? Yo te quiero; Dios también te quiere.

—No sé si Dios me quiere, o no. Alicia esta tarde tiene una fiestecita, y no me invitó. Entonces, quería yo salir a jugar, y está lloviendo. ¿Por qué mandó Dios la lluvia cuando yo quería salir a jugar? Y no me dejan ver televisión a esta hora, pues dicen que no son buenos los programas. ¿No ve que todo me sale mal?

Y de nuevo cayeron las lágrimas.

—Rosita, Rosita, te pones fea así. Con quejarte tanto sólo te pones más triste e infeliz. Y haces que otros también se sientan tristes.

La Biblia dice: "El corazón alegre hermosea el rostro" (Pr. 15:13).

Pero, ¿cómo podía Rosita tener un corazón alegre? Pues bien, podría pensar en todas las cosas buenas que tiene, en vez de en unas pocas cosas que no tiene. Hay un himno antiguo que dice: "Bendiciones, ¡cuántas tienes ya! . . . ¡Bendiciones, te sorprenderás cuando veas cuánto Dios por ti hará!"

Rosita podría estar contenta por tener buenos padres, por tener una casa en que vivir, porque Jesús la ama. En fin, por muchas cosas. También, podría tratar de ayudar a otra persona. Eso da felicidad. Dios puede darnos contentamiento. ¿No pueden ustedes estar felices también? "Cantad alegres a Dios, habitantes de toda la tierra" (Sal. 100:1).

RAZONES PARA ESTAR AGRADECIDO

Sal. 103:2

Objeto: Grabado de un automóvil chocado o de una persona ciega, lastimada, etc.

La hermana Carmen se encontró en la calle con la hermana Rosalía. Después de saludarse una a la otra, con cariño, la hermana Carmen le dijo:

—No sabes lo agradecida que estoy a Dios. Esta mañana Tito cruzaba la avenida en camino al colegio cuando un ciclista le atropelló. Ese ciclista insensible siguió su camino a toda velocidad, dejando al niño en el suelo. Pero algunos vecinos lo levantaron. Felizmente, fuera de quedar aturdido por un rato, sólo tenía algunos rasguños y la ropa sucia. Podría haberse roto la cabeza. Pero, gracias a Dios, no fue así.

—Sí —respondió la hermana Rosalía—, tienes razón de agradecer a Dios. Pero, ¿sabes?, el Señor nos protege todos los días. Yo cruzo esa avenida cuatro veces al día y hasta ahora nunca he sido atropellada. ¿No es eso aún más maravilloso?

Sonrió la hermana Carmen y dijo:

—Tú tienes razón. Parece que tantas veces no se nos ocurre agradecer el cuidado de Dios hasta que tengamos algún accidente, como lo tuvo Tito. Realmente más debemos darle gracias cuando nada malo nos ha acontecido.

—Sí —agregó la hermana Rosalía—, el Salmista dice: "Bendice, alma mía, a Jehová, y no olvides ninguno de sus beneficios" (Sal. 103:2). Debemos dar gracias a Dios por nuestros ojos, por nuestras piernas y por nuestra salud aun sin estar en peligro de perderlos. Muchas veces hasta nuestras dificultades se vuelven en bendiciones.

—Gracias a Dios —murmuró la hermana Carmen.

LA LEY DE DIOS ES BUENA
Ex. 20:15

Objeto: Un canasto de fruta o bombones, sea en realidad o en grabado.

—¿Por qué será malo hurtar, o robar? —preguntó Jaime a su padre—; me gustaría que fuera bueno hacerlo. Usted no tiene dinero para darme para comprar muchas cosas, y entonces yo podría robar fruta, golosinas y hasta juguetes. Así yo tendría muchas cosas bonitas. ¡Qué bueno sería eso!

—Mi hijito, no estoy muy seguro de eso —contestó su padre—, pero ahora tengo que salir al trabajo y no podemos conversar. Mañana es sábado, así que podremos conversar de ello. ¿Qué te parece?

—Bueno, papá —y le dio un beso de despedida.

Esa noche Jaime soñó. En su sueño encontró que no era

malo hurtar y robar. Cuando el tendero no estaba mirando, sacó un pequeño juguete y lo escondió dentro de su camisa; también robó unas golosinas. "Esto está bueno", pensaba él, feliz por su astucia. Pero siguió soñando que al día siguiente volvió a la tienda para hurtar algo más y, ¡grande fue su sorpresa!, ¡no había ninguna cosa allí! Otra gente también había robado mucho, tanto que el tendero había tenido que cerrar su negocio. En su sueño Jaime fue a otra tienda en la misma calle. También estaba vacía. Jaime siguió caminando, y todos los negocios estaban cerrados. Tantos habían sido los hurtos y robos que los dueños tuvieron que cerrar sus negocios.

Despertó Jaime y pensó largamente en su sueño. Cuando después el papá le preguntó si estaba listo para conversar sobre el robo, Jaime le dijo que ya no creía que el robo era buena idea.

Cuando Dios dijo, en los Diez Mandamientos: "No hurtarás" (Ex. 20:15), sabía bien lo que estaba haciendo, pues era lo mejor para todos.

DESOBEDIENTE PERO PERDONADO
Sal. 32:1, 2

Objeto: Grabado de un niño con cara triste, o del vidrio de una ventana quebrado.

Pedrito no estaba contento. Cuando su papá llegó del trabajo, el niño buscó algo qué hacer en un lugar donde su papá no se fijara en él. Comúnmente, Pedrito esperaba impaciente a que la cena estuviera lista, pero hoy su mamá tuvo que llamarle cuatro veces. Sentados a la mesa, el padre preguntó:

—¿Quién rompió el vidrio de la ventana de la bodega? Pedrito no dijo nada, pero se ruborizó.

—Tú estabas jugando con tu pelota en ese lado —dijo el papá—, y yo te dije que no jugaras allí.

Pedrito miró su plato y no dijo nada. Casi no podía tragar el pedazo de pan que masticaba. Luego empezó a llorar. Después de sollozar un rato, dijo:

—Lo siento. Lo pagaré con el dinero que he estado ahorrando. Y no volveré a jugar allí con mi pelota. Se lo prometo.

Los padres de Pedrito se alegraron de que el niño confesase su mal y prometiera no hacerlo más. —Muy bien, Pedrito —dijo el papá—; lo vamos a olvidar. Dios te perdona cuando confiesas el mal, y nosotros lo haremos también. Pero trata de no desobedecernos otra vez.

El Salmista (32:1, 2) dice: "Bienaventurado aquel cuya transgresión [pecado] ha sido perdonada, y cubierto su pecado. Bienaventurado el hombre a quien Jehová no culpa de iniquidad, y en cuyo espíritu no hay engaño."

Pedro pudo dormir bien esa noche y a la mañana siguiente, silbaba mientras caminaba para la escuela. Dios había puesto un nuevo gozo en su corazón. El creía que es maravilloso ser perdonado.

¿QUEREMOS DAR O RECIBIR?

Hch. 20:35; 2 Co. 9:7

Objeto: Un paquete envuelto como regalo, sea real o en grabado.

Mirta frunció el ceño y exclamó:

—Mamá, no voy a dar ningún regalo a Ema este año para

su cumpleaños. Ella nunca me da nada a mí. ¿Por qué he de darle algo a ella?

—Mi hijita —le respondió la mamá con suavidad—, has olvidado que para ella es muy difícil, pues sus padres son muy pobres y tienen una familia numerosa. De todos modos, ¿das tú regalos con el fin de recibir regalos?

—Bueno —respondió la niña con algo de vergüenza—, parece que sí.

La mamá puso un brazo alrededor de su hija y explicó:

—Querida, tú nunca vas a ser feliz si das con el fin de recibir. Eso es ser egoísta, y los egoístas nunca son personas felices. Siempre quieren más de lo que tienen y nunca están satisfechos. Sabiendo eso, Dios hace que la Biblia diga: "Más bienaventurado es dar que recibir" (Hch. 20:35). También, escribe el apóstol Pablo: "Dios ama al dador alegre" (2 Co. 9:7). ¿Sabes lo que eso quiere decir?

—¿Qué quiere decir, mamá?

Nos dice que hemos de dar porque queremos dar, no porque creamos que tenemos que dar, ni menos, porque esperamos recibir algo en recompensa. Dime, hija, si esperamos conseguir una recompensa, ¿realmente hemos hecho un *regalo*?

—Parece que no, mamá.

—También, Dios ama al dador *alegre,* no al gruñón.

—Entonces, ¿el Señor quiere que estemos contentos al regalar?

—Sí, hija mía, él nos regaló a su Hijo Jesucristo y muchísimas cosas más.

Entonces, Mirta con mucha satisfacción llevó a Ema un hermoso pastel de cumpleaños, pues sabía que Ema casi nunca había tenido algo tan bonito.

EL MEJOR PEGANTE

Jn. 15:17; Mt. 5:44; 2 Co. 5:14

Objeto: Un frasco de engrudo u otro pegamento.

La mamá de Ramona vio en una revista un aviso, según el cual ofrecían mandar gratis una muestra del pegamento perfecto, garantizando que pegaba las cosas más difíciles. Eso le pareció interesante y, como no le costaría, escribió pidiéndolo. Cuando llegó un sobre de esa compañía, lo abrió y encontró un papel en que había unas palabras grandes: "El Amor". Pero ¡no había ningún frasquito ni cajita con una pasta, ni siquiera un sobrecito con polvos para mezclar con agua para hacer el pegamento!

Bastante irritada, lo mostró a una vecina que estaba presente y le dijo:

—Así me engañaron.

La otra se rió pero entonces, más seriamente, dijo:

—A ver otra vez. ¿Cuáles son esas palabras?

Al mostrárselas, ella las leyó: "El Amor", y luego agregó:

—Pero hay palabras más chicas. ¿Las leíste?

La mamá de Ramona no lo había hecho. Las otras palabras hablaban del amor y de cómo, sin costar un centavo, cuando hay amor, se mantiene unida una familia, cimienta las relaciones entre esposos, padres e hijos, hermanos, vecinos, compañeros de trabajo y hasta el trato entre naciones. El papel también señalaba cómo Jesús había dicho a sus discípulos: "Esto os mando: Que os améis unos a otros" (Jn. 15:17), y cómo enseñó: "Amad a vuestros enemigos, bendecid a los que os maldicen, haced bien a los que os aborrecen, y orad por los que os ultrajan y os persiguen" (Mt. 5:44).

Entonces, la vecina, que era fiel cristiana, comentó:

—No creo que te engañaron. ¿Habrá mejor pegamento que eso? El unir vidas es más importante que el unir dos pedazos de papel o de madera. Bien dijo el apóstol Pablo: "Porque el amor de Cristo nos constriñe" (2 Co. 5:14), es decir, "nos aprieta para mantenernos juntos y unidos".

La mamá de Ramona sonrió y dijo:

—De veras. Yo no había pensado en eso, pero ¡es la pura verdad!

DESHACIENDO LO HECHO

He. 3:13

Objetos: Una flor, un reloj, un pedazo de papel de diario u otro.

Para el mensaje de hoy necesito que alguien me ayude. ¿Tú me vas a ayudar? ¡Qué bueno! Lo que quiero que hagas es ver cuánto tiempo demoras en hacer pedazos esta flor. Pero espérate hasta que te dé la señal.

Primero, vamos a colocar este papel en el suelo. Es más fácil mantener limpia una sala que limpiarla cuando está sucia.. Lo mismo en la casa, conviene no desparramar lo que cuesta recoger. *(Ponga el papel donde caerán los pedazos.)* Recuerda, hay que hacer pedazos chicos. ¿Listo? *(Mirando el reloj.)* ¡Ya está! *(El niño despedaza la flor; cuando haya terminado, usted anuncia cuánto tiempo demoró.)*

¡Muy bien! Ahora viene la segunda parte del trabajo. *(Mirando el reloj.)* Cuando yo dé la señal, veremos cuánto tiempo demoras en volver a juntar la flor. ¿Listo? ¡Ya está! . . . ¿No lo puedes hacer? ¿Por qué? Bueno, mi hijito, puedes sentarte. Muchas gracias. Hiciste bien, porque todo esto nos ha dado una lección.

Ojalá todos hayamos tomado nota que cuesta muy poco deshacer las cosas. En un momento de enojo podemos echar a perder una amistad. Un compañero puede decir: "Vamos a pasar un buen rato." Otro puede invitar: "Hagámoslo; nadie lo va a saber." Y otras cosas de ese estilo. ¡Pero mucho cuidado! ¡Tantas veces las cosas hechas en apuro, quizá sin pensar, traen consecuencias con una cola muy larga!

Habrá otras flores como la que se deshizo. Pero tú tienes una sola vida, y hay que cuidarla.

Cuando hacemos el mal, Dios está dispuesto a perdonárnoslo, si arrepentidos se lo pedimos. Gracias al Señor por eso. Sin embargo, cuánto mejor es no meternos en dificultades. Dios sana nuestras heridas, pero cuántas veces quedan las cicatrices.

Bien dice la Biblia: "Exhortaos los unos a los otros cada día, entre tanto que se dice: Hoy; para que ninguno de vosotros se endurezca por el engaño del pecado" (He. 3:13). Hoy es el tiempo para creer en el Señor y servirle a él.

DICIENDO MENTIRAS
Mt. 7:1; Pr. 6:16, 19

Objeto: Dibujo de dos caras, una con una oreja muy grande y la otra con la lengua grande.

¿Saben ustedes que a veces hay niños, y también —triste es decirlo— gente grande, que no tienen el cuidado de decir la verdad acerca de otras personas? En algunas ocasiones no son mentiras enteras, pues hay algo de verdad en lo dicho. Pero, debemos recordar que si solamente la mitad es verdad, entonces, ¿qué es la otra mitad? Es mentira, ¿no es cierto? Y muchas veces una media mentira es tan mala, o peor, que una mentira entera, ya que es más fácil esconderla. ¿Es una serpiente menos peligrosa cuando se ve sólo la mitad de ella?

¿Puede un tren correr bien si tiene un riel bueno y el otro malo? Necesita dos buenos rieles, ¿verdad?

A veces alguien quiere decir mentiras acerca de otro porque está celoso. Tito se sentía mal porque Ricardo sacaba mejores notas en la escuela. Tito se juntó con Jaime y empezó a chismear. "¿Sabes por qué Ricardo parece ser buen alumno? Engaña en los exámenes. Claro que sí, pues de otro modo no tendría buenas notas. También se hace amigo del profesor para que le haga favores." Así habla Tito con su lengua larga. *(Muestre el dibujo de la lengua larga.)*

¿Y qué hace Jaime? Tiene su oreja grande lista para escuchar y después repetirlo a otro. *(Muestre el dibujo de la oreja grande.)*

¿Creen ustedes que Jesús se alegra con chismosos de esa clase? Claro que no. Jesús dijo: "No juzguéis, para que no seáis juzgados" (Mt. 7:1). Además, en el libro de Proverbios —y ¿saben ustedes que, en la Biblia, el libro de Proverbios tiene muchas hermosas lecciones? Dice: "Seis cosas aborrece [odia] Jehová, y aun siete abomina su alma", y allí anota varias cosas malas y las últimas dos son: "el testigo falso que habla mentiras, y el que siembra discordia entre hermanos" (Pr. 6:16, 19).

Seamos bondadosos y nunca, nunca, digamos mentiras ni otra cosa que no sea bondadosa acerca de otras personas.

LOS CHISMOSOS
Pr. 11:13; 26:20

Objeto: Dibujo de una cara con una lengua muy larga.

Francisca y Federico estaban sentados a la mesa con su papá y su mamá. Conversaban de diferentes cosas. Entonces, Federico dijo:

—No me gusta ese Pepe Domínguez.

—A mí tampoco —agregó Francisca.

—Y ¿por qué? —preguntó el papá—. ¿Qué te ha hecho?

—Bueno —respondió Francisca—, es un chismoso. Siempre está acusando a sus compañeros ante los maestros.

—Sí —agregó Federico—, es un chismoso.

—Me parece —dijo la mamá— que ahora estamos escuchando a dos chismosos que hablan de Pepe.

Francisca se rió: —Yo no había pensado en eso.

Entonces el papá habló:

—Creo que hay algunas cosas que deben contarse: por ejemplo, cuando el acusar a otro ayuda a que alguien no haga algo malo. Pero muchas veces el contarlo no ayuda a nadie. Sólo es chisme porque no ayuda; más bien daña. La Biblia dice: "El que anda en chismes descubre el secreto; mas el de espíritu fiel lo guarda todo" (Pr. 11:13). Eso es cierto en cuanto a los secretos que otros nos cuentan, o de cosas malas que llegamos a saber. Si realmente no va a ayudar el contar las cosas, debemos mantener nuestra boca cerrada y no ser "una mala lengua". *(Muestre el cuadro.)* Cuando amamos a Jesús, no andamos contando cosas que sería mejor guardar.

—Bueno, papá —dijeron los niños—, realmente si no nos gusta cuando Pepe cuenta las cosas, entonces no debemos hacerlo nosotros.

¿Qué les parece a ustedes? Otro texto bíblico dice: "Sin leña se apaga el fuego, y donde no hay chismoso, cesa la contienda" (Pr. 26:20).

ALGUNAS PALABRAS MAGICAS

Sal. 100:4

Objetos: Algunos papeles con una sola frase escrita en

cada uno: "Por favor", "Gracias", "Con permiso", "Perdóname", etc.

"Pásame el pan", dijo Eugenio a cualquier otro en la mesa que lo podía alcanzar. El no sabía que los demás de la familia habían conversado y que se habían puesto de acuerdo para tratar de enseñarle a ser más cortés. Así que nadie le hizo caso.

"¡Que alguien me pase el pan!", gritó esta vez Eugenio. Aún, nadie actuó como si le oyera.

"¡Yo quiero pan! ¿Son todos sordos?", reclamó el niño golpeando la mesa. Pero todavía nada, los demás seguían comiendo y conversando como si no oyesen nada.

Al final Eugenio cayó en la cuenta. Esta vez dijo: "Por favor, pásenme el pan." Y casi de inmediato le llegó el pan.

El "por favor" es una de varias expresiones mágicas. Puede hacer mucho. Bueno, ¿cómo te sientes tú? ¿No te sientes más dispuesto a hacer algo, si alguien dice: "Por favor"? *(Muestre los papeles, uno a uno.)* Otra palabra es "gracias". ¿No nos gusta más cuando, al hacerle a otro un servicio, se nos dice: "Muchas gracias". Cuesta muy poco decir: "Con permiso" o "discúlpeme". Pero esas palabras ganan amigos y hacen sonreír.

Cuando dos personas se enojan, parece que cuesta mucho que una u otra diga: "Perdóneme"; pero, como si fuera magia, eso ayuda a sanar heridas y a que sean amigos otra vez. Sin esas palabras, el mal sigue y sigue.

A Dios también le gusta que le pidamos y no que le estemos exigiendo u ordenando. Quiere que le elevemos la voz y el corazón para decir: "Muchas gracias", o lo que corresponda. Como dijo el Salmista: "Entrad por sus puertas con acción de gracias" (Sal. 100:4).

COMO TRATAR A PERSONAS DIFICILES

Lc. 6:28

Objeto: Cuadro de un hombre con cara doble, por un lado feliz y por el otro infeliz.

—Tú eres fea y estúpida —gritó Clara a Ana, golpeando el piso con un pie.

—Supongo que así seré yo —respondió calmadamente Ana—, pero tú de muchas maneras eres simpática.

Clara quedó sorprendida y no sabía qué decir, pues encontró que es muy difícil pelear con alguien que no quiere pelear. Luego, sonrió y dijo:

—Bueno, tú no eres realmente fea y estúpida.

Y muy pronto las niñas eran amigas otra vez y volvieron a jugar.

¿Se dan cuenta ustedes de que Ana no era nada de estúpida. Sabía terminar el enojo y conservar la amistad.

El Señor Jesús nos enseñó a actuar bondadosamente. El dijo: "Bendecid a los que os maldicen, y orad por los que os calumnian" (Lc. 6:28).

Los que aman a Dios deben actuar así porque Dios actúa así. Cuando alguien habla en contra del Señor o le desobedece, ¿acaso le alcanza con un rayo o le dice al sol que no brille para aquella persona o que la lluvia no caiga sobre su huerta? No. Su Hijo murió por los malos.

Así, nosotros debemos ser bondadosos aun con aquellos que no nos tratan bien.

Alguien ha dicho que la mejor manera de acabar con un enemigo es hacerse su amigo.

EL REGALO SIN ABRIR

Pr. 10:22

Objeto: Un paquete pequeño, envuelto con papel de regalo, pero no elegante.

La familia Miranda era muy pobre. El señor Miranda no ganaba mucho para poder sostener a sus numerosos hijos, y ahora estaba enfermo desde hacía varios meses. Lamentaba mucho su mala suerte. La chocita en que vivían parecía estar a punto de caerse, y el viento y la lluvia entraban con grande facilidad. Los muebles eran pocos y en mal estado.

Cuando llegó la Navidad, no había mucho con que celebrar. Pero de todos modos había unos pocos paquetes y mucha tristeza por su pobreza y por lo que no podían hacer.

Entre los regalos había un paquete pequeño que nadie sabía de dónde había venido. Era tan chico y lucía tan poco que nadie le hacía caso. Sólo después de bastante tiempo y de cansarse de las otras cosas y de sus quejas, a alguien se le ocurrió decir algo de él.

Entonces abrieron el paquetito, y resultó contener una llave, como si fuese llave de puerta. ¿Para qué serviría? También había una tarjeta y sobre ella una nota escrita, indicando que era llave para una casa pequeña que un señor rico quería que ellos tuvieran. El había observado el estado ruinoso de su choza, sabía de la enfermedad del padre y quería que la familia tuviese algo mejor. Al leer eso, ahora sí todos saltaban de alegría.

Pero la familia Miranda casi perdió esa bendición por no abrir el regalo.

Lamentablemente, muchas personas viven así. Dios quiere darles ricos obsequios, pero están tan ocupados con sus cosas y con sus quejas que pasan por encima de lo que el Señor tiene para ellos.

Viene la promesa de Dios para todos: "La bendición de Jehová es la que enriquece, y no añade tristeza con ella" (Pr. 10:22).

LO LIMPIO Y LO SUCIO
Sal. 37:27

Objetos: Un vaso de agua limpia, y otro con barro.

¿Qué les parece? ¿Les gustaría beber agua de estos dos vasos? ¿Sólo de uno? ¿De cuál? ¿Por qué no quisieran beber del agua turbia? Está sucia, ¿verdad?

Así es, muchas veces, con nuestras vidas. Tal como el barro ensucia el agua, hay cosas que ensucian nuestras vidas. Hay palabras feas, empujones que se hacen con enojo, mentiras, robos y el quitar a otro lo que le pertenece; en fin, hay muchas cosas malas que ensucian la vida, tal como el barro ensucia el agua.

Pero ¿saben? Hay personas, grandes y chicas, a quienes les gusta esa mugre cuando la tienen ellas, aunque no les gusta en otros.

Sin embargo, a Dios no le gusta nada de ello, no tanto porque le haga mal a él, sino porque nos hace mal a nosotros mismos. Eso lo dice la Biblia en muchas partes. Por ejemplo, en el Salmo 37:27, leemos así: "Apártate del mal, y haz el bien, y vivirás para siempre."

También, digamos una cosa más: Aquí vemos que hay barro en el agua. Podría haber otras cosas en el agua que no alcanzaríamos a ver, como algún veneno, que serían aún más peligrosas. Así también en la vida. A veces hay cosas que a primera vista parecen muy buenas y bonitas, pero que hacen mucho mal. Vemos que otros hacen cosas que parecen atrayentes e interesantes, pero el resultado bien puede ser muy desfavorable. Por ejemplo, para muchos un vaso de vino es bonito, pero piensen en lo que hace a mucha gente. Recuerden que queremos lo limpio y no lo sucio.

ATADO CON UN HILITO
Ro. 7:25

Objeto: Un carrete de hilo delgado.

¿Crees tú que podrías romper este hilo? *(Muestre un hilo delgado.)* Claro que sí, ¿verdad? Pon aquí las dos manos para que yo las ate, y tú fácilmente lo rompes. *(Dé una vuelta a las manos con el hilo.)* Fácil, ¿no es cierto? *(El niño rompe el hilo.)* Hagámoslo otra vez. *(Rápidamente dé tres o cuatro vueltas y siga dando otras vueltas mientras habla.)* Pero ahora ves que no es tan fácil. Con cada vuelta se hace más difícil romper el hilo. *(Si el niño se desespera, sáqueselo ahora; si no, puede deshacerlo después.)*

Así son nuestros hábitos. Vamos formando nuestras costumbres, sean buenas o malas. El que se va formando el hábito de ser cortés, después lo hace casi automáticamente. Pero el que forma hábitos de descortesía también lo hace automáticamente.

Ahora, en forma especial queremos advertirles contra las costumbres malas. Cuando un niño, o un adulto, miente una vez, es más fácil hacerlo la segunda vez, y más fácil todavía con cada vez que lo hace. Igual con el hablar palabras malas u otra cosa que no convenga.

Así también crece el hábito de fumar, de beber alcohol. Y, si fuera posible, más terribles aún son las drogas que causan muchísimos males. Se engañan los niños, los jóvenes y los grandes que piensan que fácilmente pueden romper el atado. ¡Qué triste es el engaño!

En parte, hay una buena noticia: ¡Cristo rompe las cadenas! Cuando no lo podemos nosotros, si clamamos y nos entregamos a él, él nos ayudará. Como dice el apóstol Pablo: "Gracias doy a Dios, por Jesucristo Señor nuestro" (Ro. 7:25).

¡Pero las ataduras de los hábitos malos dejan sus marcas y cicatrices! ¡Mejor es cuando Cristo nos ayuda a no dejarnos atar! Sabios seremos si recordamos esto.

EL ORGULLO REVENTADO

Pr. 16:18

Objetos: Un globito de caucho inflado, pero no al máximo, con una cara sonriente dibujada en él; un alfiler; mantenga el globo inflado sosteniéndolo sólo con la mano.

Hoy quiero presentarles a una amiga mía, que se llama Gloria Globo. Es muy simpática, ¿verdad? No tiene malas costumbres, no llora, no rasguña, ni se queja; no pelea con sus amigas. Siempre es la misma sonriente Gloria. Pero ella tiene un problema: Es un tanto "inflada"; se cree mucho, mejor que otra gente. En otras palabras, es muy orgullosa.

Todos necesitamos algo de orgullo. Debemos saber bien quiénes somos, qué es lo que podemos hacer, intentar cosas importantes, sacar las mejores notas en la escuela que nos sea posible, pero dentro de lo honrado. Pero Gloria no hace nada de eso. Ella no sabe mucho ni tampoco quiere saber. Si la inflamos más *(hágalo)*, su sonrisa es más grande y nada más, pues siempre es sonrisa orgullosa y vacía.

La Biblia tiene algo que decir acerca de esa clase de orgullo. Proverbios 16:18 dice: "Antes del quebrantamiento es la soberbia, y antes de la caída la altivez de espíritu." El que se infla mucho, es seguro que va a caer. Así llega el tiempo en que la pobre Gloria, tan altiva y tan vacía, es reducida a su verdadero tamaño. *(Toque el globo con un alfiler, y reviéntelo.)* Así es. ¡Qué lástima! ¿No? Pero queremos enfatizar una lección que niños y grandes necesitamos aprender: No nos creamos mejores que otros, ni miremos en menos a otros. Puede que algunos no tengan ropa tan bonita, o que muestren algún defecto, u otra cosa. Pero seamos amables con ellos, como Dios es amable con nosotros. Seamos como nuestro Señor Jesucristo quiere que seamos.

LAS COSAS PEQUEÑAS
Lc. 16:10

Objeto: Dejar caer al suelo, como si fuera por accidente, un papel o un paño.

¿Cuándo debemos aprender buenas costumbres? ¿Después? ¿O ahora? ¿No es más importante aprender cosas buenas primero y no aprender las malas y después tener que dejarlas para aprender las buenas?

Se cuenta de un comerciante que quería emplear a un jovencito para trabajar en su negocio después de las horas de la escuela. Alguien le dijo que Samuel Pérez sería un buen muchacho para eso. Así llamó a Samuel a su oficina para conversar con él. Pero antes dejó caer un papel al suelo y también dejó un libro en un rincón como si se hubiese caído. Cuando entró Samuel, éste vio el libro y lo recogió, como asimismo el papel, y preguntó dónde debía colocarlos.

¿Creen ustedes que el comerciante le dijo al muchacho que no lo quería para trabajar? ¿No creen que esa era la clase de persona que él deseaba? ¿Se fijaron que yo también dejé caer un papel al suelo para ver si alguien lo recogía? ¿Lo hizo alguien?

Nuestro Señor Jesucristo se fija en muchas cosas. En una ocasión dijo: "El que es fiel en lo muy poco, también en lo más es fiel; y el que en lo muy poco es injusto, también en lo más es injusto" (Lc. 16:10).

Ustedes son niños todavía, y lo que ahora aprenden es un indicio de lo que van a ser cuando sean grandes. Yo les amo a ustedes y quiero que cuando crezcan sean buenos hombres y mujeres y buenos papás y mamás, y también buenos amigos del Señor Jesús. Así, es necesario que aprendan ahora a hacer sus trabajos y sus cosas bien.

¿Qué les parece? ¿Quieren eso también?

LA BOCA SUCIA
Ef. 4:29, 30

Objeto: Grabado de un hombre con ropa bien presentada pero con una boca sucia.

¿Qué ven ustedes aquí? Este hombre parece ser muy caballero, ¿no? Miren su ropa elegante. Pero, ¿ven ustedes algo que no es bonito, sino feo? Es la boca, ¿verdad?

¡Cuántas veces vemos a hombres o niños —y a veces mujeres o niñas— que pueden tener la ropa limpia y la boca muy sucia! Puede que la mugre no esté por el lado fuera de la boca, sino dentro de ella. En ocasiones, es porque tienen muy mal genio y se enojan fácilmente y no cuidan lo que dicen. También muchos usan palabras sucias, expresiones malas e hirientes, y salen de la boca palabras feas, verdaderas basuras.

A veces, incluso, toman el nombre de Dios, o de nuestro Señor Jesús, como si fuese algo bajo e indecente. ¿Te gustaría a ti que alguien tomara el nombre tuyo para decirlo con enojo o arrojarlo a otro como si fuese un trapo lleno de suciedad? Yo creo que no. Sin embargo, ¡qué lástima es cuando el nombre que es el mejor de todos los nombres del mundo es usado así en forma tan terrible! Y ¿qué decir de las cosas feas que se pronuncian o que se escriben en las paredes de algunos lugares? Dios no puede estar conforme con cosas así. Sin lugar a dudas, castigará tales prácticas.

En una de sus cartas el apóstol Pablo escribió: "Ninguna palabra corrompida salga de vuestra boca, sino la que sea buena para la necesaria edificación" (Ef. 4:29), es decir, las palabras que van a ayudar. Siguió diciendo que no debemos hacer que el Espíritu Santo de Dios se entristezca (v. 30).

No importa mucho si todos tenemos ropa bonita o no, pero sí importa mucho que las palabras de nuestra boca sean bonitas.

EL ENVASE VENENOSO

Pr. 23:31, 32

Objetos: Siete envases para refrescos, vacíos.

Aquí hay siete envases. Supongamos que todos estuviesen llenos de una bebida refrescante, deliciosa. Entonces, si se les dijera: "Sírvanse gratis", ¿cuántos querrían tomar un refresco? Todos, ¿verdad? Pero supongamos que entonces se les dijera: "Un momentito. Seis de estos envases tienen una bebida rica, pero en uno de ellos hay un veneno peligroso que haría que se enfermase gravemente. El veneno no tiene sabor, y no se sabe en cuál envase está hasta que empieza a enfermarse la persona que ha bebido de ese envase."

Recuerden bien: Seis envases ofrecen poco peligro, pero el séptimo representa un viaje al hospital y quizá la muerte. Las bebidas son gratis, pero ¿cuántas personas querrán arriesgar la salud sólo por tomar un refresco gratis? Alguien que lo hiciera no sería sabio, ¿verdad?

Y eso, si la bebida es gratis. Si tuviera que pagar el refresco, ¡sería peor todavía!

Pero ¿saben, niños, que hay gente que hace algo parecido a eso todo el tiempo? Me refiero a los que toman bebidas alcohólicas. En cierto país se ha comprobado que de cada siete personas que beben cerveza, vino u otras cosas más fuertes, una llega a tener una enfermedad que se llama alcoholismo, un mal que destruye a mucha gente y muchos hogares. Hay otros peligros que afectan a un mayor número de bebedores, como las peleas, los accidentes y el malgasto del dinero; pero por ahora estoy hablando tan sólo de aquellos que no pueden dejar de beber y que van de mal en peor.

La mejor manera de evitar todo eso es no beber alcohol. El que nunca bebe nunca se emborracha y no corre el peligro del envase envenenado. Eso es usar la cabeza.

Dios nos ama y quiere lo mejor para nosotros. Por eso nos dice: "No mires al vino cuando rojea, cuando resplandece su color en la copa. Se entra suavemente; mas al fin como serpiente morderá" (Pr. 23:31, 32).

LIBROS QUE PUEDEN MATAR
2 Co. 6:17, 18; Sal. 19:14

Objeto: Grabado de un arma de fuego u otro apropiado.

Una vez en un país latinoamericano un grupo de profesores estaba revisando una caja de libros usados que se habían regalado para la biblioteca de la escuela. Un profesor abrió uno de los libros y encontró muchas de sus páginas cortadas en el medio, dejando un hueco. Por la forma del hueco se dio cuenta de que alguien había escondido allí una pistola. Posiblemente de esa manera había logrado importar al país la pistola sin que las autoridades lo supieran. Mientras portaba el arma era un libro peligroso, ¿no es cierto?

¿Puede un libro matar? Hemos leído de un caso en la India en que un joven sacó un libro de un estante, despertando así a una pequeña serpiente que dormía en él. La serpiente mordió al joven, y el veneno casi lo mató.

Lamentablemente hay libros, revistas y programas de televisión que son como veneno para la mente y para la vida sana. A veces los niños grandecitos tienen, escondidos para mirarlos en secreto, libros y grabados que les estimulan para cosas malas. Demasiadas veces en los kioscos de diarios y revistas se ofrece lectura que enferma al espíritu o, cuando menos, llena la mente de basura. Debemos tener cuidado con lo que entra a la mente. No es necesario que un libro lleve una pistola para que sea peligroso.

El apóstol Pablo cita al profeta Isaías, diciendo: "Salid de en medio de ellos, y apartaos, dice el Señor, y no toquéis lo inmundo; y yo os recibiré, y seré para vosotros por Padre, y vosotros me seréis hijos e hijas, dice el Señor todopoderoso" (2 Co. 6:17, 18).

Más bien, queremos ver lo bueno, oír lo bueno, hablar lo bueno y pensar lo bueno. El Salmo 19:14 dice: "Sean gratos los dichos de mi boca y la meditación de mi corazón delante de ti, oh Jehová, roca mía, y redentor mío."

¿QUE FRUTA TIENE UN ARBOL?

Gá. 6:7-9; Mt. 7:19

Objetos: Grabado de un árbol frutal, o una rama de árbol afirmada en una maceta, y unas frutas con hilos fijados para colgarlos en la rama.

Mientras la mamá estaba ocupada en el dormitorio, Mario y Juan decidieron hacer un truco, antes que se diera cuenta su mamá y antes que el papá llegase del trabajo. Llevaron de la cocina algunos plátanos, naranjas y otras frutas, y algo de hilo. Luego, con el hilo ataron a las ramas de un arbolito en el patio diversas piezas de fruta. Entonces, parecía como que ese árbol hubiera producido plátanos, naranjas, limones, etc. Cuando llegó el papá, los niños corrieron a mostrarle cómo el árbol tenía tanta fruta. Todos se rieron de la broma, pues nadie creía que un árbol tuviese fruta tan variada. *(Muestre el dibujo, o fije a la rama las frutas preparadas.)*

Pero, ¿saben, niños, que hay personas que toman en serio algo igualmente ridículo? Viven mal y esperan que resulte algo bueno. Siembran maleza y creen cosechar trigo. Pero no resulta así. Dice la Biblia: "No os engañéis; Dios no puede ser burlado: pues todo lo que el hombre sembrare, eso también segará. Porque el que siembra para su carne [es decir, en las cosas malas], de la carne segará corrupción, mas el que siembra para el Espíritu [es decir, para Dios y las cosas buenas], del Espíritu segará vida eterna. No nos cansemos, pues, de hacer bien; porque a su tiempo segaremos, si no desmayamos" (Gá. 6:7-9).

El colgar fruta en un árbol puede ser un buen chiste, pero no hagamos algo así con nuestras vidas. Dice el Señor Jesucristo: "Todo árbol que no da buen fruto, es cortado y echado en el fuego" (Mt. 7:19).

LECCIONES DE UN ALFILER

Dt. 6:18; Sal. 24:3, 4; Hch. 28:27; Pr. 16:32;
Sal. 37:27, 28

Objeto: Un alfiler sencillo.

¿Creen ustedes que un pequeño alfiler nos puede enseñar algo? Yo veo a lo menos cinco cosas que podemos aprender de él, lecciones que nos servirán en la vida.

Primero, un alfiler debe estar derecho. Si está doblado, no sirve para mucho, a menos que se pueda enderezar. La Palabra de Dios dice: "Haz lo recto y bueno ante los ojos de Jehová, para que te vaya bien" (Dt. 6:18). Así que nuestras acciones no deben ser torcidas o malas, sino rectas o derechas. Si no son así, debemos pedir a Dios que nos ayude a enderezarlas.

Segundo, un alfiler debe estar limpio. Si está sucio, se oxida, se pone feo y no sirve. Se resiste a entrar a lo que queremos y, si entra, ensucia. En la Biblia leemos: "¿Quién subirá al monte de Jehová? . . . El limpio de manos y puro de corazón" (Sal. 24:3, 4). Por supuesto, el Salmista no está hablando tanto de que las manos nuestras estén libres de tierra o de grasa (aunque un poco de jabón con agua nos hace bien a veces), sino que se refiere a que no debemos meter nuestras manos en la maldad.

Tercero, un alfiler debe ser puntiagudo. No debe estar quebrado ni embotado. Pues, si es así, no entra al género o al papel. Demasiadas veces los seres humanos somos como dijo Dios por medio del apóstol Pablo acerca de una gente en Roma: "El corazón de este pueblo se ha engrosado, y con los oídos oyeron pesadamente, y sus ojos han cerrado, para que no vean con los ojos, y oigan con los oídos, y entiendan de corazón, y se conviertan, y yo los sane" (Hch. 28:27). En gran parte, esa clase de gente no entiende, porque no quiere entender.

Cuarto, un alfiler debe tener una buena cabecilla. Esto es

para que no vaya demasiado lejos. La cabecilla le indica cuándo debe detenerse. Esta es una buena lección para personas de todas las edades. En un grupo alguien propone que hagan una maldad. Ojalá que haya uno que tenga cabeza, para sugerir otras cosas y que no vayan demasiado lejos. Dos niños (o niñas) empiezan a discutir; luego se enojan. Entonces conviene que usen la cabeza y busquen la paz, antes de ir a las manos. La Biblia dice: "Mejor es el que tarda en airarse que el fuerte" (Pr. 16:32).

Quinto, un alfiler tiene una misión que cumplir y debe servir en aquello para lo cual fue hecho. Un alfiler en una camisa puede punzar a la persona o puede prestar un servicio. En todo lo que sea bueno, hagamos caso de lo que el Señor dice en el Salmo 37:27, 28: "Apártate del mal, y haz el bien, y vivirás para siempre. Porque Jehová ama la rectitud."

¿CUANDO ES COMETA UNA COMETA?

Mt. 7:21; Ro. 12:2; Fil. 4:13; Jn. 15:5; Ec. 9:10

Objeto: Una hoja de papel cualquiera.

¿Saben lo que es esto? ¡Es una cometa (volantín)! ¿No me creen? ¿Por qué no? ¡Ajá! La razón es sencilla. Y ahí está la primera lección que queremos señalar hoy:

El llamar a un papel "cometa" no hace que sea cometa, ¿verdad? Así el llamar a una persona "cristiana" no hace que sea cristiana. Dijo Jesucristo: "No todo el que me dice: Señor, Señor, entrará en el reino de los cielos, sino el que hace la voluntad de mi Padre que está en los cielos" (Mt. 7:21). Podemos poner nombres a las cosas nuestras, pero en la vida son importantes los nombres que Dios pone.

Pero ¿sería posible que esta hoja de papel llegara a ser una cometa? Yo creo que sí, haciendo ciertas cosas, aunque este papel no es la mejor clase para usar para volar. También, Dios puede tomar la vida de cada uno de nosotros y, arreglándola de cierta manera, hacer que sea mejor y más útil. La Biblia dice: "No os conforméis a este siglo, sino transformaos por medio de la renovación de vuestro entendimiento" (Ro. 12:2).

Entonces, ¿qué hay que hacer con este papel para que sea cometa?

Primero, no tiene la forma de una cometa. Tendremos que cortar el papel. Así Dios debe formarnos para que sirvamos su propósito. A veces eso nos produce dolor, pero es necesario. No siempre es fácil lo que hay que hacer en la vida ni tampoco en la escuela, ¿verdad?

Después, para hacer una cometa debiéramos colocarle palitos para darle fuerza, para que no tome cualquier forma. La forma más corriente de estos palitos es de una cruz. El que nos da fuerza y nos forma es el Señor. El necesitó de mucha valentía para ir a la cruz donde murió para darnos vida eterna. Siempre es "Cristo que me fortalece" (Fil.4:13).

Tercero, la cometa necesita tirantes de cordón que la conecten con las cuatro puntas de los palitos. Estos le dan equilibrio. El Señor y su cuerpo espiritual, la iglesia, nos ayudarán en esto.

Cuarto, hace falta un hilo para atar los tirantes. Ese hilo tiene el propósito de controlar la cometa. Sin él la cometa se escapa. He conocido a niños, y a grandes también, que no querían ningún control; querían hacer lo que les daba la gana. Pero, al igual que la cometa, esa libertad les hace caer al suelo. ¿Han visto una cometa cuando se le corta el hilo? Se estrella, ¿no es cierto?

También, una cometa debe mantener la cabeza hacia arriba y no seguir dando volteretas. Para lograr esto en muchos casos hace falta ponerle a la cometa una cola para dar peso a esa punta. Nosotros también debemos mantener la cabeza hacia arriba, pues algunos no parecen saber la diferencia entre pies y cabeza. Por ejemplo, cuando algunos compañeros sugieren hacer algo malo, no piensan en las consecuencias que vendrán. ¡No usan la cabeza! Mantengamos los pies en el suelo y la cabeza hacia Dios.

Sexto —¡cosa curiosa!— para volar la cometa necesita tener el viento en contra. A la vez tendremos nosotros el viento en contra, dificultades. En la escuela habrá lecciones difíciles; no aprendemos mucho si no hay problemas que resolver. Muchas veces hay que hacer frente a situaciones de "viento en contra".

Y observamos que la cometa debe volar inclinada, no parada derechito. Esto no significa que debemos pararnos inclinados, pues debemos aprender a caminar bien erguidos. Pero sí, hace falta algo de humildad y no un orgullo falso.

Octavo, la cometa debe ser elevada y mantenida en el aire por una mano que dé una dirección sabia a la operación. Si la mano suelta el hilo o hace una mala maniobra, esto afecta la cometa. ¿Quién debe tener su mano sabia sobre nuestras vidas? Son nuestros padres y, sobre todo, Dios mismo, ¿no es cierto? Cristo dice: "Separados de mí nada podéis hacer" (Jn. 15:5).

¿Hay algo que falta? A lo menos una cosa: ¡la acción! Todo ese trabajo de hacer una cometa tiene poco sentido, a menos que la usemos. Así mismo, Dios nos ha llamado a la acción. "Todo lo que te viniere a la mano para hacer, hazlo según tus fuerzas" (Ec. 9:10).

LECCIONES DE UNA LINTERNA
Mt. 6:33; Jn. 8:12

Objeto: Una linterna eléctrica; tener el foco (bombilla, ampolleta), el reflector y las pilas aparte, no a la vista.

Aquí tengo una buena linterna. ¿Para qué se usan las

linternas? Para alumbrar cuando está oscuro, ¿no es cierto? Ahora no está oscuro, pero quiero que vean ustedes lo bueno que es. *(Mueva el contacto.)* ¿Qué pasa? ¡No prende! ¿Por qué será?

Pero, ¿saben, niños? Así somos nosotros. Parece que somos capaces dentro de nosotros mismos, pero no lo somos. Ningún ser humano es suficiente solito. *(Examine la linterna.)* ¡Ajá! Ya veo el problema. Esta linterna no tiene una bombilla. ¿Cómo va a dar luz sin bombilla? *(Muestre la bombilla.)* En nuestras vidas tal vez podríamos decir que la educación es como la bombilla. Debemos educarnos todo lo posible, tanto en la escuela diaria como en la escuela bíblica. Nos da comprensión; nos provee de un conocimiento del mundo, de nosotros mismos y de cómo ganarnos la vida.

Pero ¡un momento! *(Mire la linterna.)* Esta bombilla no va a resultar bien si no tiene un reflector. El reflector ayuda a mantener la bombilla en su lugar y también enfoca la luz hacia donde queremos que alumbre. Eso también se aplica a la vida. El reflector es como un propósito en la vida. Desde muy jóvenes necesitamos fijarnos en aquello a que queremos dedicar la vida. Con eso podemos enfocar nuestra atención hacia lo que queremos lograr. Algunos buscan placer, dinero u otra cosa así. Pero Jesús nos dice: "Buscad primeramente el reino de Dios y su justicia" (Mt. 6:33). *(Coloque la bombilla y el reflector, pero en posición de modo que los niños no vean que no hay pilas.)*

Ahora, sí, está bien la linterna, ¿verdad? Tenemos educación y también dirección en la vida. ¡Listos, entonces! *(Mueva el contacto.)* ¿Qué pasa? ¡No prende! ¡Y justamente cuando creíamos que todo andaba bien! *(Abra la linterna.)* Ya veo el problema. ¡No tiene pilas! Felizmente tengo aquí algunas. *(Colóquelas y mueva el contacto de modo que prenda la linterna.)* ¡Bueno, por fin tenemos luz!

Hay muchas personas así. Las "pilas" de la vida son el poder de Dios. A veces, las pilas de la linterna son débiles y dan solamente un poco de luz, y a veces son tan débiles que no producen nada de luz. Podemos tener muchas cosas: inteligencia, una buena educación, buena salud y un propósito en la vida; pero sin el poder de Dios, nada sirve para dar una verdadera luz. Es el Señor Jesucristo que nos dice: "Yo soy la luz del mundo; el que me sigue, no andará en tinieblas, sino que tendrá la luz de la vida" (Jn. 8:12).

Una cosa más: ¿Se fijaron en que en todas las cosas ya arregladas, todavía hacía falta el contacto? Si no movemos el contacto *(hágalo)*, su poder no se convierte en luz.

¿No es cierto que una linterna nos da muchas lecciones?

MAS LECCIONES DE UNA LINTERNA
Sal. 66:18; Stg. 1:6, 7; 4:3; Pr. 28:9

Objeto: Una linterna que funciona bien, salvo que en el interior, en el polo negativo, hay varios papelitos que impiden el contacto. En ellos hay palabras escritas, como se anotan más adelante, junto con los versículos bíblicos mencionados.

Hoy queremos que esta linterna represente la ayuda que recibimos de Dios por medio de la oración. Todos, muchas veces, deseamos que Dios nos ayude en nuestros problemas, tal como esperamos que una linterna alumbre cuando está oscuro.

(Saque el reflector, de modo que la gente vea las pilas en su puesto.) Ustedes pueden ver que las partes de la linterna están en su lugar. Así suponemos que no habrá problemas para su buen funcionamiento, ¿no es cierto?

Pero no debemos juzgar por las apariencias. No lo podemos hacer aquí, ni en la vida. Hasta en el asunto de la oración. Sabemos que Dios es fiel, que tiene poder y que quiere ayudarnos. Sin embargo, hay ocasiones en que pedimos a Dios, y parece que él no nos escucha o, si nos escucha, no nos da lo que queremos.

Pero veamos nuestra linterna. A ver la luz que nos presta. *(Ponga el contacto con la linterna apuntada hacia los niños.)* ¿Prendió bien? ¿No? *(Apúntela hacia usted mismo.)* ¡De veras! ¿Qué pasará? Parece que tendremos que mirar adentro otra vez. *(Saque la bombilla y mírela.)* Parece que la bombilla está buena. Las pilas están más o menos nuevas. ¿Qué puede ser? *(Saque las pilas desde el frente de la linterna. Si no se caen también los los papeles, habrá que mirar dentro de la linterna para verlos.)* ¡Buena cosa! ¿Qué tenemos aquí? Lógicamente, ¡con estos papeles las pilas no pueden hacer contacto!

Igualmente, hay cosas en nuestras vidas que dificultan o impiden nuestro contacto con Dios.

Veo que estos papeles tienen palabras escritas y también citas bíblicas. A ver lo que dicen: *(Con niños mayores, o jóvenes, se pueden repartir los papelitos para que busquen las citas y las lean a su debido tiempo.)*

El primer papel habla del *pecado secreto* como algo que impide las bendiciones de Dios. Leamos Salmo 66:18. *(Léalo en la Biblia.)* Esto nos dice que si el corazón abriga iniquidad, o el pecado, el Señor no se hace presente allí. Si queremos limpiar nuestro corazón, él nos ayudará en eso, pero no está dispuesto a vivir en tanta inmundicia ni a presentar sus bendiciones para que estén allí tampoco.

El segundo papel habla de la *inestabilidad,* y el texto es Santiago 1:6, 7. *(Léalo.)* El Señor quiere firmeza. ¿Te gustaría prestar tu muñeca o tu pelota a alguien que un día te trata bien y otro día te trata mal? Así también es Dios con sus bendiciones.

El tercer papel dice: *egoísmo,* y la cita bíblica es Santiago 4:3. *(Léalo.)* ¿Para qué Dios nos da cosas buenas, si las vamos a ocupar mal, usándolas egoístamente para nosotros mismos y aun en daño nuestro? No. El no quiere estimular la avaricia, sino la generosidad.

El cuarto papel dice: *desobediencia a la ley de Dios,* basado en Proverbios 28:9. *(Léalo.)* El Señor quiere ayudarnos realmente, y el bien verdadero tiene relación con la obediencia a su ley.*

A veces puede haber otras cosas que dificultan el contacto con Dios y hacen imposible que sus bendiciones nos lleguen. Vivamos día a día para mantener abiertos los contactos con él.

---

* Si se quiere, se pueden añadir otros papeles, tales como *culpabilidad* (Is. 1:15), *malas obras* (Mi. 3:4), *no ayudar a otros* (Pr. 21:13), *porfía en la maldad* (Zac. 7:11-13.)

¿DE QUE SIRVE UN PARAGUAS?

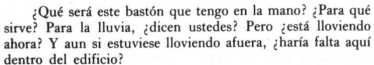

Sal. 46:1; 91:4; Mt. 23:37; 11:28; 28:20

Objeto: Un paraguas.

¿Qué será este bastón que tengo en la mano? ¿Para qué sirve? Para la lluvia, ¿dicen ustedes? Pero ¿está lloviendo ahora? Y aun si estuviese lloviendo afuera, ¿haría falta aquí dentro del edificio?

Bueno, creo que de este paraguas podemos aprender algunas cosas que nos servirán para nuestras vidas. Como el paraguas es para protegernos de una buena mojada de la lluvia, así Dios quiere protegernos de los peligros, no de la lluvia, sino del pecado y de las cosas que nos hacen mal. En el libro de los Salmos (46:1) se dice: "Dios es nuestro amparo y fortaleza, nuestro pronto auxilio en las tribulaciones." Tal como una gallina protege sus pollitos debajo de su cuerpo, la Biblia dice que el Señor nos protege: "Con sus plumas te cubrirá, y debajo de sus alas estarás seguro" (Sal. 91:4).

Si un pollito prefiere quedarse en la lluvia y no esconderse debajo de la gallina, bien lo puede hacer; pero a la mayor parte de los pollitos no les gusta mojarse. A menudo a la gente sí, tanto con la lluvia como con las cosas malas de la vida. Una vez Jesucristo con tristeza dijo: "¡Cuántas veces quise juntar a tus hijos, como la gallina junta sus polluelos debajo de las alas, y no quisiste!" (Mt. 23:37).

Una persona puede tener un paraguas y no usarlo. También, se puede saber quién es Jesucristo pero no hacerle ningún caso. Espero que ustedes no sean así. El quiere ayudarnos y enseñarnos lo mejor. El invita: "Venid a mí todos los que estáis trabajados y cargados, y yo os haré descansar" (Mt. 11:28).

Una cosa más: Parece no importar si alguien tiene paraguas o no hasta que empieza a llover. Pero hay que conseguir el paraguas antes, ¿verdad? También, algunos pueden llamar tonta a una persona que lleva paraguas cuando el sol está brillando. Así los amigos pueden creer que tú eres raro cuando quieres obedecer y amar al Señor Jesús, pero ellos se equivocan. Puede que no necesitemos un paraguas en todo tiempo, pero sí hace falta que Jesucristo esté con nosotros siempre. ¡Qué bueno que él haya dicho: "He aquí yo estoy con vosotros todos los días, hasta el fin del mundo"! (Mt. 28:20).

A veces es bueno tener un paraguas; siempre es bueno tener a Jesucristo.

INDICE DE TEXTOS BIBLICOS

Génesis 1:1............................37
Exodo 20:15...........................64
Deuteronomio 6:18.................85
1 Samuel 16:7.......................55
Nehemías 9:17.......................53
Salmo 4:7, 8.........................18
  19:14................................82
  24:1 44
  24:3, 4.............................85
  27:4 22
  32:1, 2.............................65
  37:3, 5.............................32
  37:27, 28 ....76, 85
  37:31 9
  40:8 57
  46:1 92
  51:10................................36
  66:18................................90
  86:11................................13
  91:4 92
  91:15................................24
  100:1................................62
  100:1, 2...........................39
  100:3................................37
  100:4................................72
  103:2................................63
  104:33, 34.......................61
  111:1, 2...........................39
  119:9, 11, 105.................41
  119:11................................21
  119:105 ....38, 41, 42
Proverbios 3:11, 12 51
  6:16, 19 70
  10:22................................75
  11:13................................71
  11:19, 20...........................50
  14:12................................13
  15:13................................62

  16:9 9
  16:18................................78
  16:32...........................52, 85
  20:9 7
  22:6 51
  23:26................................25
  23:31, 32...........................81
  26:20................................71
  28:9 90
  21:13................................92
Eclesiastés 9:10....................86
  12:1...........................16, 52
Isaías 1:15 92
  40:8 14
  55:1 8
  55:6 16
  64:6...................................7
Ezequiel 18:29......................23
  36:26, 27 9
Miqueas 3:4..........................92
  7:7...................................22
Hageo 2:8.............................45
Zacarías 7:11-13...................92
Malaquías 3:8, 10 46
Mateo 5:14, 16......................26
  5:44 68
  6:13 34
  6:33 88
  7:1...................................70
  7:12.................................56
  7:19 84
  11:28................................92
  14:22-33...........................22
  18:3 30
  23:37................................92
  28:20................................92
Marcos 7:21..........................36
Lucas 2:52.............................48

6:28 74
9:25 28
16:10 79
Juan 1:4................15
3:8....................12
3:16...................37
3:36...................15
4:24...................12
5:39...................41
7:24..............42, 55
8:12..............26, 88
8:31...................21
10:10.............28, 33
12:24..................48
13:15..................43
14:6..............17, 23
15:5..............30, 86
15:11..................43
15:17..................68
Hechos 20:35 66
28:27..................85
Romanos 3:23 19
6:23...................33
7:21, 24, 25...........34
7:25...................77

12:1 25
12:2 86
13:9 56
1 Corintios 4:2 30
2 Corintios 5:14.........68
6:17, 18 82
9:7................46, 66
12:10.............35, 54
Gálatas 6:7-9...........84
Efesios 4:29, 30........80
4:31, 32 53
5:20 59
Filipenses 2:14 60
4:13............35, 54, 86
Colosenses 3:15 59
1 Timoteo 5, 6..........17
Hebreos 3:13............69
12:2 22
12:11 51
Santiago 1:6, 7.........90
1:22-24 19
4:3....................90
1 Pedro 2:21.......11, 43
1 Juan 1:7-9.............7
5:14, 15 47

INDICE DE TEMAS

Agradecimiento.............59, 63
Alcohol como bebida...........81
Amor..........................68
Ayudador, Cristo como
            16, 26, 34, 35, 92
Ayudar a otros 57
Biblia
     14, 19, 21, 22, 38, 39, 41, 42
Bondad....................70, 74
Buscar a Dios ..12, 17, 21, 22, 23
Camino de Dios.........13, 23, 33

Consagración
     23, 25, 26, 28, 29, 30, 32, 33
Contentamiento.57, 59, 60, 61, 62
Cooperación...............54, 56
Creación..................15, 37
Cumplimiento..................30
Chisme 70, 71
Diezmo...................45, 46
Dios como amigo...............24
Disciplina...............50, 51
Dominio propio............52, 53

Egoísmo 66
Enojo.................................53
Esfuerzo 23, 35, 48, 50, 86
Fidelidad 48
Fruto.................................84
Generosidad 66
Genio bueno o malo..........35, 52
Gozo 18
Gracia................................75
Hábitos.....................52, 77, 84
Himnos.........................39, 61
Honradez 64, 65
Limpieza de vida 76
Lo importante............42, 55, 88
Mayordomía................44, 45, 46
Mentira...............................70
Modelo, Cristo 11, 43

Oración............................47, 90
Orden 79
Orgullo 78
Palabras malas 80
Pecado 7, 19, 36
Pedir ayuda 32, 54
Peligros...............................82
Perdón 65
Quejas 60, 75
Regla de oro 56
Robo 64
Salvación
    7, 8, 9, 11, 12, 13, 14, 15, 16, 17,
    18, 36, 92
Servicio............................32, 85
Vencer el mal 23, 34, 69